Novo Avenida Brasil 1

Curso Básico de Português para Estrangeiros

CB020813

O GEN | Grupo Editorial Nacional – maior plataforma editorial brasileira no segmento científico, técnico e profissional – publica conteúdos nas áreas de ciências humanas, exatas, jurídicas, da saúde e sociais aplicadas, além de prover serviços direcionados à educação continuada e à preparação para concursos.

As editoras que integram o GEN, das mais respeitadas no mercado editorial, construíram catálogos inigualáveis, com obras decisivas para a formação acadêmica e o aperfeiçoamento de várias gerações de profissionais e estudantes, tendo se tornado sinônimo de qualidade e seriedade.

A missão do GEN e dos núcleos de conteúdo que o compõem é prover a melhor informação científica e distribuí-la de maneira flexível e conveniente, a preços justos, gerando benefícios e servindo a autores, docentes, livreiros, funcionários, colaboradores e acionistas.

Nosso comportamento ético incondicional e nossa responsabilidade social e ambiental são reforçados pela natureza educacional de nossa atividade e dão sustentabilidade ao crescimento contínuo e à rentabilidade do grupo.

Novo Avenida Brasil 1

Curso Básico de Português para Estrangeiros

Emma Lima
Lutz Rohrmann
Tokiko Ishihara
Samira Iunes
Cristián Bergweiler

gen | E.P.U.

- Os autores deste livro e a editora empenharam seus melhores esforços para assegurar que as informações e os procedimentos apresentados no texto estejam em acordo com os padrões aceitos à época da publicação, e todos os dados foram atualizados pelos autores até a data de fechamento do livro. Entretanto, tendo em conta a evolução das ciências, as atualizações legislativas, as mudanças regulamentares governamentais e o constante fluxo de novas informações sobre os temas que constam do livro, recomendamos enfaticamente que os leitores consultem sempre outras fontes fidedignas, de modo a se certificarem de que as informações contidas no texto estão corretas e de que não houve alterações nas recomendações ou na legislação regulamentadora.

- Fechamento desta edição: 13.01.2022

- Os autores e a editora se empenharam para citar adequadamente e dar o devido crédito a todos os detentores de direitos autorais de qualquer material utilizado neste livro, dispondo-se a possíveis acertos posteriores caso, inadvertida e involuntariamente, a identificação de algum deles tenha sido omitida.

- **Atendimento ao cliente: (11) 5080-0751 | faleconosco@grupogen.com.br**

- Direitos exclusivos para a língua portuguesa
Copyright © 2022, 2023 by
Publicado pelo selo **E. P. U. – Editora Pedagógica e Universitária Ltda**
Uma editora integrante do **GEN | Grupo Editorial Nacional**

- Travessa do Ouvidor, 11
Rio de Janeiro – RJ – 20040-040
www.grupogen.com.br

Reservados todos os direitos. É proibida a duplicação ou reprodução deste volume, no todo ou em parte, em quaisquer formas ou por quaisquer meios (eletrônico, mecânico, gravação, fotocópia, distribuição pela Internet ou outros), sem permissão, por escrito, da E. P. U. – Editora Pedagógica e Universitária Ltda.

- Revisão Técnica: Cely Santavicca Valladão de Freitas
- Capa, projeto gráfico e diagramação: Priscilla Andrade
- Ilustrações: Marcos Machado
- Imagens de capa: istock/peeterv; Ridofranz; AaronAmat; Photodjo; monkeybusinessimages; fizkes; SanneBerg

CIP-BRASIL. CATALOGAÇÃO NA PUBLICAÇÃO
SINDICATO NACIONAL DOS EDITORES DE LIVROS, RJ

N843
2. ed.
v. 1

Novo Avenida Brasil 1 : curso básico de português para estrangeiros / Emma Eberlein O.F. Lima... [et al.] ; ilustração Marcos Machado. - 2. ed. [Reimpr.]. - Rio de Janeiro : E.P.U., 2023.

: il.
"Inclui material suplementar"
ISBN 978-85-216-3760-8

1. Língua portuguesa - Estudo e ensino - Falantes estrangeiros. 2. Língua portuguesa - Compêndios para estrangeiros. I. Lima, Emma Eberlein O.F. II. Machado, Marcos.

21-73417

CDD: 469.824
CDU: 811.134.3(81)'243

Meri Gleice Rodrigues de Souza - Bibliotecária - CRB-7/6439

abdr ASSOCIAÇÃO BRASILEIRA DE DIREITOS REPROGRÁFICOS
Respeite o direito autoral

Sobre os Autores

Emma Eberlein O. F. Lima, Mestre em Letras pela Universidade de São Paulo e professora de Português para estrangeiros. Diretora Pedagógica da Polyglot Ensino e Publicações Ltda desde 1986. Autora de muitos livros didáticos de Português para estrangeiros.

Lutz Rohrmann, Coordenador de projetos de livros didáticos. Coautor de vários livros didáticos de Alemão e Português para estrangeiros.

Tokiko Ishihara, Pós-doutorado em linguística na Universidade Paris Nanterre. Professora do Departamento de Letras Modernas da Universidade de São Paulo (USP).

Samira Abirad Iunes, Foi Doutora em língua e literatura francesa pela Universidade de São Paulo e professora do Departamento de Letras Modernas na mesma universidade. Autora de muitos livros didáticos de Português para estrangeiros.

Cristián González Bergweiler, Professor de Português e Alemão para estrangeiros.

Material suplementar

Este livro conta com o seguinte material suplementar:

- Áudios: diálogos e textos de audição e exercícios orais, além do conteúdo de Fonética (requer PIN);
- Manual do Professor (com acesso restrito a docentes).

O acesso ao material suplementar é gratuito. Basta que o leitor se cadastre e faça seu *login* em nosso *site* (www.grupogen.com.br), clicando em Ambiente de aprendizagem, no menu superior do lado direito. Em seguida, clique no *menu* retrátil ☰ e insira o código (PIN) de acesso localizado na primeira orelha deste livro.

O acesso ao material suplementar online fica disponível até seis meses após a edição do livro ser retirada do mercado.

Caso haja alguma mudança no sistema ou dificuldade de acesso, entre em contato conosco (gendigital@grupogen.com.br).

Recursos Didáticos

Símbolos utilizados em Novo Avenida Brasil:

Texto gravado

Escreva no caderno

Exercício de leitura

Escreva sobre você mesmo

Apresentação

A presente edição é uma versão atualizada do método **Avenida Brasil – Curso básico de Português para estrangeiros**.

As grandes modificações que o mundo viveu ao longo dos anos desde a primeira publicação de **Avenida Brasil**, bem como as alterações que o cenário dos estudos linguísticos sofreu, levaram-nos a repensar e a reorganizar a obra. A grande modificação é a nova distribuição do material, levando o aluno do patamar inicial de conhecimento ao final do nível intermediário.

Para colocar nosso material mais próximo das diretrizes do Quadro Europeu Comum de Referência *(Common European Framework of Reference for Languages)*, decidimos reparti-lo em três níveis, correspondentes a A1 (Volume 1), A2 (Volume 2) e B1 + (Volume 3).

Para facilitar a utilização do método, resolvemos, além disso, integrar o antigo Livro de Exercícios ao livro-texto. Assim, a primeira parte de cada um dos três livros deve ser trabalhada em aula. Na segunda parte do volume, o aluno terá exercícios numerosos e muito variados, correspondentes, cada um deles, a cada uma das lições da primeira parte.

Outra alteração introduzida no método foi a racionalização da sequência verbal de modo a suavizar a passagem do Modo Indicativo para o Modo Subjuntivo. Com essa mesma intenção, também as atividades e os exercícios relativos a esses itens sofreram modificações.

O método utilizado é essencialmente comunicativo, mas, em determinado passo da lição, as aquisições gramaticais são organizadas e explicitadas.

Optamos por um método, digamos, comunicativo-estrutural. Assim, levamos o aluno, mediante atividades ligadas a suas experiências pessoais, a envolver-se e a participar diretamente do processo de aprendizagem, enquanto lhe asseguramos a compreensão e o domínio, tão necessários ao aluno adulto, da estrutura da língua.

Sem dúvida, o objetivo maior do **Novo Avenida Brasil**, agora em três volumes, é levar o aluno a compreender e falar. Entretanto, por meio da seção Exercícios (segunda parte de cada um dos três volumes), sua competência escrita é igualmente desenvolvida.

O **Novo Avenida Brasil** não se concentra apenas no ensino de intenções de fala e de estruturas. Ele vai muito além. Informações e considerações sobre o Brasil, sua gente e seus costumes permeiam todo o material, estimulando a reflexão intercultural.

Desse modo, ao mesmo tempo em que adquire instrumentos para a comunicação, em português, o aluno encontra, também, elementos que lhe permitem conhecer e compreender o Brasil e os brasileiros.

O **Novo Avenida Brasil** destina-se a estrangeiros de qualquer nacionalidade, adolescentes e adultos, que queiram aprender Português para poderem comunicar-se com os brasileiros e participar de sua vida cotidiana.

Os autores

Como usar o seu Novo Avenida Brasil

Novo Avenida Brasil – Curso Básico de Português para Estrangeiros chega à 2ª edição amplamente revisto e atualizado, ao passo que preserva a vanguarda da metodologia que o consagrou.

O livro é destinado a principiantes, de qualquer nacionalidade, que queiram aprender o Português como é falado no Brasil, de maneira didática.

Os três volumes cobrem todo o conteúdo básico, levando ao final do nível intermediário o estudante totalmente principiante. Apresentam e desenvolvem temas comunicativos por meio de diálogos, exercícios, textos para audição ou leitura, e atividades para ampliação de vocabulário. Oferecem, ainda, atividades variadas e interessantes para a aplicação e fixação do conteúdo. A fonética é, também, cuidadosamente tratada nesses três livros.

Cada volume é dividido em duas partes, chamadas "Livro-texto" e "Livro de Exercícios", que auxiliam o estudante principiante a atingir os níveis A1, A2 e B1, estabelecidos pelo Quadro Europeu Comum de Referência para Línguas e pelos parâmetros do Certificado de Proficiência em Língua Portuguesa para Estrangeiros (Celpe-Bras).

Este **Volume 1** trata de abordagens em encontros, primeiro contato, nomes, nacionalidade, comidas, lugares e rotinas, com revisões fonéticas, soluções, vocabulários, textos gravados e gramática.

Conectado com o mundo dinâmico e em constantes transformações, o **Novo Avenida Brasil** atualizou seus recursos didáticos, desenvolvidos para promover a interatividade e ampliar a experiência dos leitores. Tudo cuidadosamente construído sobre os pilares de seu célebre método de aprendizagem.

O uso de iconografia nas principais seções busca facilitar a identificação de cada um dos recursos didáticos apresentados no livro.

Veja, a seguir, como usar o seu **Novo Avenida Brasil**. Os professores poderão encontrar informações estratégicas, que poderão ser aprofundadas no *Manual do Professor* que acompanha os três volumes. Se for aluno, aproveite e tire as dúvidas com seu professor. Será mais um passo para o seu aprendizado.

Boa leitura!

*Em cada Lição serão trabalhados os aspectos que envolvem a **Comunicação** interpessoal e a **Gramática**, essencial para a construção da aprendizagem do idioma.*

*Cada Lição divide-se em duas partes: **Livro-Texto e Livro de Exercícios**. Recomenda-se trabalhar o Livro-texto em aula e utilizar o Livro de Exercícios para fixar os conteúdos, como atividades individuais para os alunos.*

O livro traz uma lista dos temas que serão vistos em cada uma das Lições deste volume.

Sumário

Temas	Comunicação	Gramática	Livro-Texto	Livro de Exercícios
Lição 1	**Conhecer pessoas**		1	61
Primeiro contato, nomes, nacionalidade, endereço, profissão, números até cem.	Cumprimentar; pedir e dar informações pessoais; soletrar; despedir-se; comunicar-se em sala de aula.	Verbos: ser, -ar; substantivos: masculino-feminino; pronomes pessoais e possessivos (seu/sua); preposições: em + artigo.		
Lição 2	**Encontros**		7	67
Encontros com outras pessoas, atividades de lazer, horários.	Propor alguma coisa; convidar; perguntar as horas; comunicar-se em sala de aula.	Verbos: ir, poder, ter; futuro imediato; pronomes demonstrativos.		
Lição 3	**Comer e beber**		15	73
Restaurante, bar, convites, alimentação, à mesa.	Pedir informações; pedir alguma coisa; agradecer.	Verbos: -er, gostar de, estar, querer, ser/estar; preposições: de + artigo.		
Lição 4	**Hotel e cidade**		23	79
Reserva no hotel, problemas com o serviço, orientação na cidade, placas de trânsito, números até um bilhão.	Expressar desejos, preferências, dúvida; pedir informação (localização, direção); confirmar algo, reclamar.	Verbos: -ir, fazer, preferir, ficar, está funcionando, imperativo; pronomes possessivos: dele, dela; comparação: mais.		
Lição 5	**Moradia**		33	85
Casas e apartamentos, imobiliária, decoração, a sala de aula, casas populares.	Descrever, identificar coisas; expressar contentamento, descontentamento; comparar; localizar.	Verbos: pretérito perfeito -ar, -er, -ir; comparação: mais, menos, tão, irregulares; preposições de lugar.		
Lição 6	**O dia a dia**		43	91
O dia a dia de brasileiros, calendário brasileiro, poesia e arte.	Relatar atividades no passado; falar sobre atividades do dia a dia.	Verbos: pretérito perfeito (irregulares): ser, ir, estar, ter, fazer, querer, poder, dar (presente e pretérito perfeito); pronomes pessoais: o, a, -lo, -la; locuções adverbiais de tempo.		
Revisão			55	99
Fonética				102
Apêndice gramatical				107
Textos gravados				114
Soluções				123
Vocabulário alfabético				131
Créditos				143

*Uma seção especial foi dedicada à **Fonética**, ferramenta que deve ser usada pelo professor desde o início do curso e indispensável para o aprendizado da língua.*

Essencial para a compreensão e plena aprendizagem do Português, a Gramática mereceu um apêndice dedicado à fixação de temas como conjugação de verbos, estruturação das frases e concordância verbal e nominal.

*Os áudios que acompanham o **Novo Avenida Brasil** apresentam aos leitores a língua falada, viva, e seus diferentes sotaques. Ajudam também a perceber as "regionalidades" e a compreender a cultura múltipla do país.*

Sumário

Temas	Comunicação	Gramática	Livro--Texto	Livro de Exercícios
Lição 1	**Conhecer pessoas**		1	61
Primeiro contato, nomes, nacionalidade, endereço, profissão, números até cem.	Cumprimentar; pedir e dar informações pessoais; soletrar; despedir-se; comunicar-se em sala de aula.	Verbos: ser, -ar; substantivos: masculino-feminino; pronomes pessoais e possessivos (seu/sua); preposições: em + artigo.		
Lição 2	**Encontros**		7	67
Encontros com outras pessoas, atividades de lazer, horários.	Propor alguma coisa; convidar; perguntar as horas; comunicar-se em sala de aula.	Verbos: ir, poder, ter; futuro imediato; pronomes demonstrativos.		
Lição 3	**Comer e beber**		15	73
Restaurante, bar, convites, alimentação, à mesa.	Pedir informações; pedir alguma coisa; agradecer.	Verbos: -er, gostar de, estar, querer, ser/estar; preposições: de + artigo.		
Lição 4	**Hotel e cidade**		23	79
Reserva no hotel, problemas com o serviço, orientação na cidade, placas de trânsito, números até um bilhão.	Expressar desejos, preferências, dúvida; pedir informação (localização, direção); confirmar algo, reclamar.	Verbos: -ir, fazer, preferir, ficar, está funcionando, imperativo; pronomes possessivos: dele, dela; comparação: mais.		
Lição 5	**Moradia**		33	85
Casas e apartamentos, imobiliária, decoração, a sala de aula, casas populares.	Descrever, identificar coisas; expressar contentamento, descontentamento; comparar; localizar.	Verbos: pretérito perfeito -ar, -er, -ir; comparação: mais, menos, tão, irregulares; preposições de lugar.		
Lição 6	**O dia a dia**		43	91
O dia a dia de brasileiros, calendário brasileiro, poesia e arte.	Relatar atividades no passado; falar sobre atividades do dia a dia.	Verbos: pretérito perfeito (irregulares): ser, ir, estar, ter, fazer, querer, poder, dar (presente e pretérito perfeito); pronomes pessoais: o, a, -lo, -la; locuções adverbiais de tempo.		
Revisão			55	99
Fonética				102
Apêndice gramatical				107
Textos gravados				114
Soluções				123
Vocabulário alfabético				131
Créditos				143

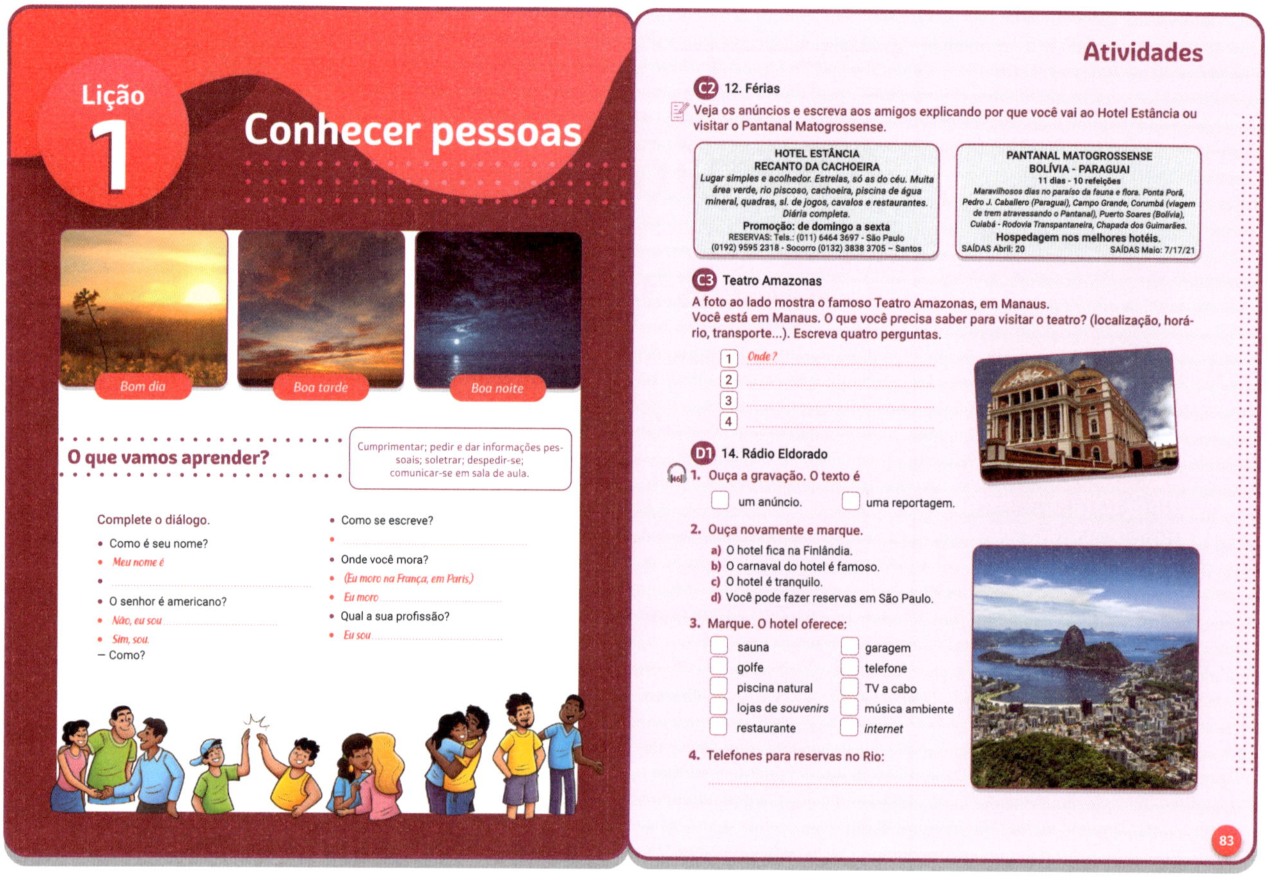

Lição 1

Conhecer pessoas

Bom dia

Boa tarde

Boa noite

O que vamos aprender?

Cumprimentar; pedir e dar informações pessoais; soletrar; despedir-se; comunicar-se em sala de aula.

Complete o diálogo.

- Como é seu nome?
- *Meu nome é*
- ....
- O senhor é americano?
- *Não, eu sou* ....
- *Sim, sou.*
- Como?
- Como se escreve?
- ....
- Onde você mora?
- *(Eu moro na França, em Paris.)*
- *Eu moro* ....
- Qual a sua profissão?
- *Eu sou* ....

Atividades

C2 12. Férias

Veja os anúncios e escreva aos amigos explicando por que você vai ao Hotel Estância ou visitar o Pantanal Matogrossense.

HOTEL ESTÂNCIA
RECANTO DA CACHOEIRA
Lugar simples e acolhedor. Estrelas, só as do céu. Muita área verde, rio piscoso, cachoeira, piscina de água mineral, quadras, sl. de jogos, cavalos e restaurantes. Diária completa.
Promoção: de domingo a sexta
RESERVAS: Tels.: (011) 6464 3697 - São Paulo
(0192) 9595 2318 - Socorro (0132) 3838 3705 – Santos

PANTANAL MATOGROSSENSE
BOLÍVIA - PARAGUAI
11 dias - 10 refeições
Maravilhosos dias no paraíso da fauna e flora. Ponta Porã, Pedro J. Caballero (Paraguai), Campo Grande, Corumbá (viagem de trem atravessando o Pantanal), Puerto Soares (Bolívia), Cuiabá - Rodovia Transpantaneira, Chapada dos Guimarães.
Hospedagem nos melhores hotéis.
SAÍDAS Abril: 20 SAÍDAS Maio: 7/17/21

C3 Teatro Amazonas

A foto ao lado mostra o famoso Teatro Amazonas, em Manaus.
Você está em Manaus. O que você precisa saber para visitar o teatro? (localização, horário, transporte...). Escreva quatro perguntas.

1. *Onde?*
2. ....
3. ....
4. ....

D1 14. Rádio Eldorado

1. Ouça a gravação. O texto é
   - [ ] um anúncio.
   - [ ] uma reportagem.
2. Ouça novamente e marque.
   a) O hotel fica na Finlândia.
   b) O carnaval do hotel é famoso.
   c) O hotel é tranquilo.
   d) Você pode fazer reservas em São Paulo.
3. Marque. O hotel oferece:
   - [ ] sauna
   - [ ] golfe
   - [ ] piscina natural
   - [ ] lojas de *souvenirs*
   - [ ] restaurante
   - [ ] garagem
   - [ ] telefone
   - [ ] TV a cabo
   - [ ] música ambiente
   - [ ] *internet*
4. Telefones para reservas no Rio:
   ....

83

*Ricamente ilustrado, o **Novo Avenida Brasil** destaca os aspectos lúdico e didático, tornando o aprendizado do Português mais interessante e intuitivo. Desenhos exclusivos e imagens icônicas completam a experiência na jornada da leitura.*

O ícone representado por um fone de ouvido indica que existem áudios disponíveis para aquele tema ou seção. Ouça! Acompanhe!

2 A1 Como é seu nome?

- Bom dia.
- Bom dia.
- Como é seu nome?
- Meu nome é Charles.

3 A2 Como se escreve?

- E como o senhor se chama?
- Eu me chamo Peter Watzlawik.
- Como?
- Peter Watzlawik.
- Como se escreve o seu sobrenome?
- W-A-T-Z-L-A-W-I-K. E a senhora, como se chama?
- ...

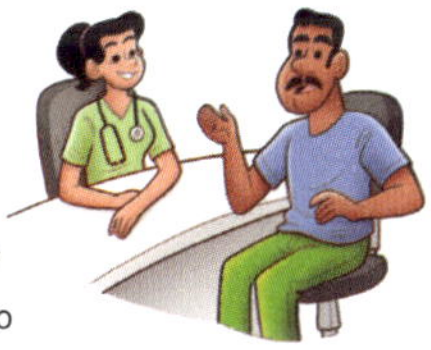

você

Como é o seu nome?

....

*Não se intimide com o dedo apontado para você! O ícone indica a oportunidade de exercitar a escrita em Português **falando sobre você mesmo**. Aproveite e pratique!*

4 A3 O senhor é...?

- O senhor é americano?
- Sou, sim. E a senhora? É alemã?
- Não, não sou, sou holandesa.
- ...

5 Nacionalidade

americano	americana
francês	francesa
alemão	alemã
canadense	canadense
coreano	coreana
chinês	chinesa

Sua nacionalidade:

Eu sou ....

6 A4 Qual é a sua profissão?

- Qual é a sua profissão?
- Sou jornalista, trabalho no Jornal do Brasil.
- Onde o senhor mora?
- Moro na França, em Paris.

7 Profissão

o médico	a médica
o professor	a professora
o jornalista	a jornalista
o cozinheiro	a cozinheira
os arquitetos	as arquitetas
os psicólogos	as psicólogas
o consultor	a consultora
o camelô	a camelô
o microempresário	a microempresária

Sua profissão:

Eu sou ....

B1 Verbo irregular *ser*

		ser
Eu	→	sou
Você/Ele/Ela	→	é
Nós	→	somos
Vocês/Eles/Elas	→	são

LEMBRE-SE

* *tu* – Tu és brasileiro?
  É usado em Portugal e em algumas regiões do Brasil.
* *vós*
  Não é usado em português moderno.

Em cada Lição você encontrará quadros com lembretes que destacam algo bastante relevante sobre o idioma. Fique atento!

Responda.

a) O que eles são? (estudantes)

....

b) O que ela é? (secretária)

....

c) Qual é a sua profissão? (jornalista)

....

d) Vocês são jornalistas? (médicos)

....

e) Os senhores são franceses? (italianos)

....

f) O que você é? (alemão)

....

g) O que ela é? (suíça)

....

h) O que elas são? (professoras)

....

B2 Verbos regulares em *-ar*

		trabalhar
Eu	→	trabalho
Você/Ele/Ela	→	trabalha
Nós	→	trabalhamos
Vocês/Eles/Elas	→	trabalham

Outros verbos em *-ar*:

chamar-se	falar	estudar
morar	completar	andar
começar	perguntar	voar

Complete com os verbos *falar*, *trabalhar*, *morar*, *chamar-se*.

Ela .... Mônica Ribeiro.
.... em Belo Horizonte.
.... na Fiat.
.... inglês.

Eles .... Gilberto e Maria.
.... em Belém.
.... no Hotel Sagres.
.... francês e alemão.

Eu me ....
....
....
....
....

Cândido Portinari, Menino morto (óleo sobre tela: 1944, 1,79 x 1,90m)

E Poemas surrealistas

1. Com seu colega, forme o maior número de palavras com as letras das palavras abaixo.

BRASILEIRO SECRETÁRIA MUSICAL NAMORADO

Exemplo:

EMPRESÁRIO

SUBSTANTIVOS	VERBOS	OUTROS
MÊS	rir	sem
mesa	sair	me
rio	saio	pro
mar	sai	por
pai	pare	
empresa	paro	
presa	sei	

Este ícone indica que você deve exercitar a habilidade da escrita, que compõe a prática e a trilha de aprendizagem da língua.

2. Faça pequenos poemas ou frases com as palavras dadas acima.

Exemplo de pequenos poemas surrealistas, com as letras da palavra EMPRESÁRIO:

O RIO
E
O MAR

SEM PRESSA
O RIO SAI
PARA O MAR

PARO SEM SAIR
PARO SEM RIR
RIR SEM SAIR

MESA
SEM ME
É MESA

Ao encontrar este ícone, faça uma pausa para a leitura proposta. É mais uma importante habilidade do idioma a ser praticada. E o Novo Avenida Brasil selecionou amostras muito especiais e representativas do Português. Divirta-se enquanto aprende!

D2 Poesia e arte brasileiras

Cecília Meireles

Nasceu no Rio de Janeiro, no dia 7 de novembro de 1901. Órfã de pai e mãe aos 3 anos, foi criada pela avó. Formou-se professora primária em 1917. Em 1919, publicou seu primeiro livro de poesias, Espectros. Em 1930, iniciou atividades jornalísticas. Fundou várias bibliotecas infantis; a primeira em 1934. Foi professora universitária de literatura em universidades brasileiras e estrangeiras. Deixou vasta obra em prosa e poesia. Faleceu no Rio de Janeiro, no dia 9 de novembro de 1964. Recebeu, post-mortem, o prêmio "Machado de Assis", da Academia Brasileira de Letras, pelo conjunto de sua obra.

Carlos Drummond de Andrade

Nasceu em 31 de outubro de 1902, na pequena cidade de Itabira, em Minas Gerais, filho de pai fazendeiro. Em 1920, mudou-se para Belo Horizonte, a capital do estado, onde começou sua carreira jornalística e poética. Em 1923, formou-se farmacêutico, mas nunca exerceu a profissão. Foi professor de escola e funcionário público. Em 1930, publicou seu primeiro livro de poemas, Alguma Poesia. Em 1934, mudou-se para o Rio de Janeiro. Nos anos seguintes, trabalhou como funcionário público em postos de destaque. Recebeu vários prêmios importantes. Escrevendo crônicas para vários jornais, tornou-se conhecido pelo grande público. Morreu no Rio de Janeiro, em agosto de 1987, amado e respeitado por todos.

Cândido Portinari

Nasceu em 1903 numa fazenda de café, em Brodowski, interior do estado de São Paulo, de pais imigrantes do Vêneto. Cresceu entre trabalhadores do campo, no Brasil rural. Desde pequeno, mostrou gosto pela pintura. Aos 10 anos, recebeu seu primeiro pagamento, ajudando um pintor a decorar a igreja local. Em 1917, mudou-se para o Rio de Janeiro, onde estudou desenho no Liceu de Artes e Ofícios e na Escola Nacional de Belas Artes. Trabalhando ativamente, em poucos anos ficou conhecido no país. Em 1928, ganhou o prêmio de Viagem ao Estrangeiro pelo Salão Nacional de Belas Artes. Viveu na Europa de 1929 a 1931. De volta ao Brasil, sua arte sofreu grande evolução, tornando-se essencialmente brasileira. Seus temas principais foram a terra e o povo de seu país. Morreu no Rio de Janeiro, no dia 6 de fevereiro de 1962.

Relcione.

1

2

3

- ( ) atividades profissionais no Rio de Janeiro
- ( ) morto aos 84 anos
- ( ) infância em fazenda
- ( ) filho de imigrantes italianos
- ( ) jornalista
- ( ) morto aos 59 anos
- ( ) trabalho com crianças
- ( ) mineiro
- ( ) carioca
- ( ) poeta
- ( ) paulista
- ( ) pintor

Para os professores, em especial, a divisão das lições por blocos cadencia* a sequência de temas a serem ministrados e quais elementos devem ser desenvolvidos naquele determinado momento.

A: *apresenta o vocabulário, os elementos básicos de comunicação e as estruturas.*

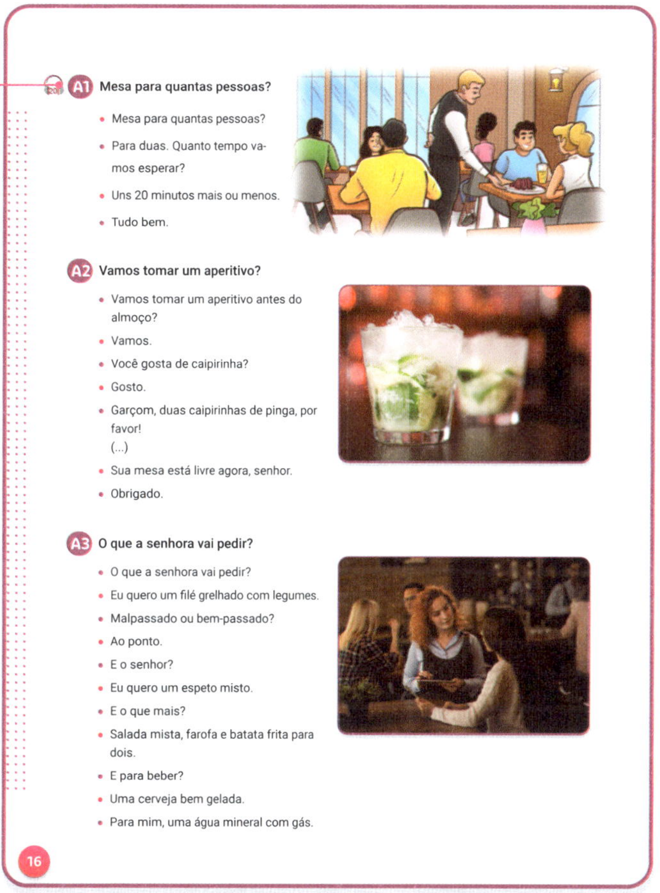

A1 Mesa para quantas pessoas?

- Mesa para quantas pessoas?
- Para duas. Quanto tempo vamos esperar?
- Uns 20 minutos mais ou menos.
- Tudo bem.

A2 Vamos tomar um aperitivo?

- Vamos tomar um aperitivo antes do almoço?
- Vamos.
- Você gosta de caipirinha?
- Gosto.
- Garçom, duas caipirinhas de pinga, por favor!
(...)
- Sua mesa está livre agora, senhor.
- Obrigado.

A3 O que a senhora vai pedir?

- O que a senhora vai pedir?
- Eu quero um filé grelhado com legumes.
- Malpassado ou bem-passado?
- Ao ponto.
- E o senhor?
- Eu quero um espeto misto.
- E o que mais?
- Salada mista, farofa e batata frita para dois.
- E para beber?
- Uma cerveja bem gelada.
- Para mim, uma água mineral com gás.

16

B: *tem como meta conscientizar e automatizar as estruturas já vistas.*

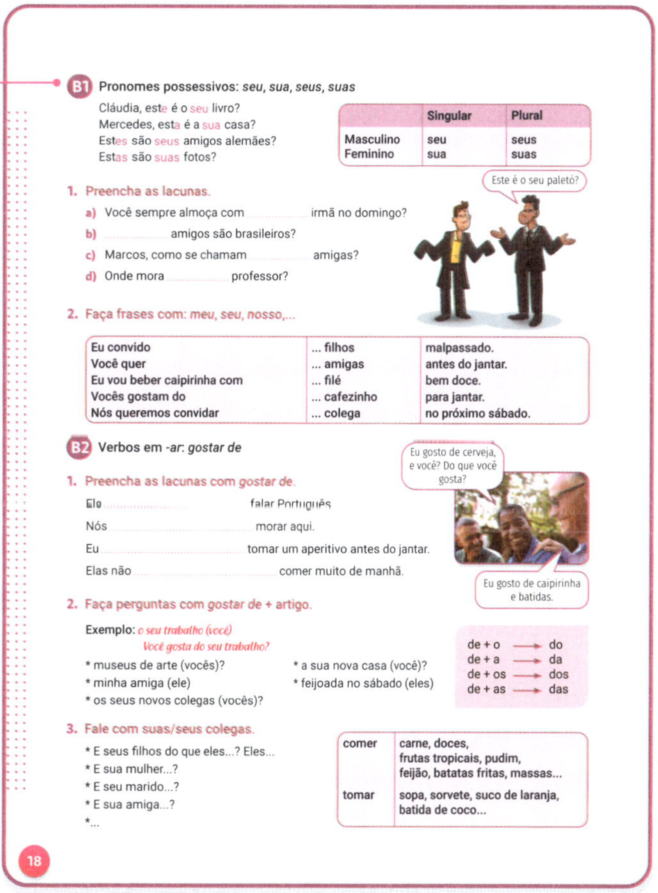

B1 Pronomes possessivos: ***seu, sua, seus, suas***

Cláudia, este é o seu livro?
Mercedes, esta é a sua casa?
Estes são seus amigos alemães?
Estas são suas fotos?

	Singular	Plural
Masculino	seu	seus
Feminino	sua	suas

Este é o seu paletó?

1. Preencha as lacunas.

a) Você sempre almoça com .... irmã no domingo?
b) .... amigos são brasileiros?
c) Marcos, como se chamam .... amigas?
d) Onde mora .... professor?

2. Faça frases com: ***meu, seu, nosso,...***

Eu convido	... filhos	malpassado.
Você quer	... amigas	antes do jantar.
Eu vou beber caipirinha com	... filé	bem doce.
Vocês gostam do	... cafezinho	para jantar.
Nós queremos convidar	... colega	no próximo sábado.

B2 Verbos em ***-ar: gostar de***

Eu gosto de cerveja, e você? Do que você gosta?
Eu gosto de caipirinha e batidas.

1. Preencha as lacunas com ***gostar de.***

Ele .... falar Português.
Nós .... morar aqui.
Eu .... tomar um aperitivo antes do jantar.
Elas não .... comer muito de manhã.

2. Faça perguntas com ***gostar de*** **+ artigo.**

Exemplo: *o seu trabalho (você)*
Você gosta do seu trabalho?

* museus de arte (vocês)?
* minha amiga (ele)
* os seus novos colegas (vocês)?
* a sua nova casa (você)?
* feijoada no sábado (eles)

de + o → do
de + a → da
de + os → dos
de + as → das

3. Fale com suas/seus colegas.

* E seus filhos do que eles...? Eles...
* E sua mulher...?
* E seu marido...?
* E sua amiga...?
*...

comer	carne, doces, frutas tropicais, pudim, feijão, batatas fritas, massas...
tomar	sopa, sorvete, suco de laranja, batida de coco...

18

*Os blocos são sequenciais e recomenda-se obedecer a ordem alfabética, de A a E.

C: amplia e retoma os elementos de comunicação, o vocabulário e as estruturas estudadas.

C1 1. Você está hospedado no melhor hotel da cidade. Seu/Sua colega faz muitas perguntas sobre o hotel.

a diária | o conforto | o serviço | os quartos | o bar e o restaurante

H****
HOTEL DAS CATARATAS
Rodovia das Cataratas, km 28 – 85890
Foz do Iguaçu – PR – Tels.: (0455) 74-2666 e 72-4479
Localização: Parque Nacional Iguaçu
Acomodação: 200 apartamentos.
Serviços no Apartamento: Telefone, geladeira, TV a cabo, ar-condicionado, aquecimento central, música ambiente.
Serviços do Hotel: Restaurante, bar, *coffee shop*, sala de reuniões (50), internet, estacionamento, piscina aquecida, quadra de vôlei, de futebol, de tênis, *playground*, cofre.
Serviços Especiais: Loja de *souvenirs*, joalheria, agência de viagens, mirante. Taxa de serviço (10%) incluída na nota. Aceita cartão de crédito.

2. Você está falando com a camareira. Você não está satisfeito(a) com o hotel.

ordem ⟷ desordem
limpar ⟼ banheiro/quarto
faltar ⟼ toalhas/sabonete/...
não ter ⟼ água/cerveja/... no frigobar

sujo ⟷ limpo
arrumar ⟼ quarto/cama
trocar ⟼ lençóis/toalhas/...
não funcionar ⟼ televisão/luz/telefone/...

Vou falar com o gerente.
O senhor tem razão.
Mas, está limpo.
Mais alguma coisa?
Vou ver o que posso fazer...
Está tubo bem.
O.k.

C2 Caminhos

1. Consulte o mapa da página 26. Você está com sua amiga. Ela está dirigindo. Vocês estão na praça Sílvio Romero e querem ir até a drogaria no Largo Nossa Senhora do Bom Parto. Indique o caminho a ela.
2. Explique onde você mora e como você vai para casa depois da aula de Português. (pegar ônibus/metrô/bonde no... /van/micro-ônibus. / descer do ônibus/metrô/bonde no... /van/micro-ônibus em... andar até...)
3. No domingo, vai haver um jogo de futebol muito importante em sua cidade. Converse sobre o melhor modo (carro/ônibus/bonde/metrô...) de chegar ao estádio.
4. Escolha no jornal um evento (concerto, teatro, *show*...) no fim de semana. Converse sobre o melhor modo de chegar lá e combine o encontro.

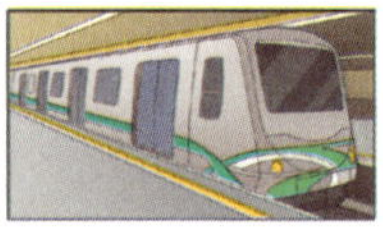

30

D: apresenta textos de leitura e de áudio, tendo em vista a expansão da compreensão escrita e oral do aluno.

E: concentra-se na ampliação e no trabalho do vocabulário.

D2 Onde você está?

Examine a planta na página 26 e depois ouça a gravação. Onde Felipe vai encontrar Alcides? Aponte o local no mapa.

E1 Trânsito

Examine estas placas de trânsito. Relacione-as com as situações 1 a 10.

[4] Parada obrigatória | [ ] Sentido proibido | [ ] Proibido virar à esquerda | [ ] Proibido estacionar | [ ] Estacionamento regulamentado

PARE
E
E

[ ] Proibido parar ou estacionar | [ ] Velocidade máxima permitida | [ ] Sentido obrigatório | [ ] Siga em frente | [ ] Mão dupla

80

1. Não podemos entrar nesta rua. É contramão.
2. Que sorte! Podemos estacionar aqui. Há uma vaga ali atrás do carro azul.
3. À esquerda não! Olhe o guarda!
4. Paaaare!!!! BUUM!
5. Estacionar aqui? De jeito nenhum. Aqui nem podemos parar.
6. Esta rua é de duas mãos? Não, não é. É mão única.
7. Fique à direita. Esta rua é de duas mãos.
8. Não vire nem à esquerda nem à direita.
9. Excesso de velocidade, moço. Vou lhe dar uma multa.
10. Retire logo as bagagens porque não posso estacionar aqui.

E2 Amazonas — números

200 duzentos (duzentas)
300 trezentos (-as)
400 quatrocentos (-as)
500 quinhentos (-as)
600 seiscentos (-as)
700 setecentos (-as)
800 oitocentos (-as)
900 novecentos (-as)
1.000 mil
2.000 dois/duas mil
1.000.000 um milhão
1.000.000.000 um bilhão

LEMBRE-SE

duzentas vezes
quinhentas pessoas
um milhão de vezes
duas mil escolas
dois mil dólares
dois milhões de mulheres

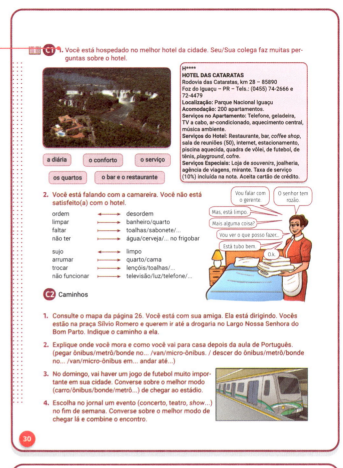

Área: 1.570.745,7 km²
População (est. 2004) 3.148.420 habitantes
População urbana: 74,8%
Densidade demográfica: 2 habitantes/km²
Principais cidades: Manaus – 1.592.555 hab.
Itacoatiara – 78.425 hab.
Manacapuru – 81.518 hab.
Parintins – 105.002 hab.
Coari – 80.552 hab.

32

Para conhecer outros conteúdos de **Português como Língua Estrangeira** (PLE), acesse o site https://www.grupogen.com.br/catalogo-portugues.

Há mais de 60 anos, a Editora Pedagógica Universitária (E.P.U.) é pioneira na publicação de livros sobre PLE que, com metodologia consagrada, conquistaram o mercado mundial e são referência no mercado.

Sumário

Temas	Comunicação	Gramática	Livro-Texto	Livro de Exercícios
Lição 1	**Conhecer pessoas**		1	61
Primeiro contato, nomes, nacionalidade, endereço, profissão, números até cem.	Cumprimentar; pedir e dar informações pessoais; soletrar; despedir-se; comunicar-se em sala de aula.	Verbos: ser, -ar; substantivos: masculino-feminino; pronomes pessoais e possessivos (seu/sua); preposições: em + artigo.		
Lição 2	**Encontros**		7	67
Encontros com outras pessoas, atividades de lazer, horários.	Propor alguma coisa; convidar; perguntar as horas; comunicar-se em sala de aula.	Verbos: ir, poder, ter; futuro imediato; pronomes demonstrativos.		
Lição 3	**Comer e beber**		15	73
Restaurante, bar, convites, alimentação, à mesa.	Pedir informações; pedir alguma coisa; agradecer.	Verbos: -er, gostar de, estar, querer, ser/estar; preposições: de + artigo.		
Lição 4	**Hotel e cidade**		23	79
Reserva no hotel, problemas com o serviço, orientação na cidade, placas de trânsito, números até um bilhão.	Expressar desejos, preferências, dúvida; pedir informação (localização, direção); confirmar algo, reclamar.	Verbos: -ir, fazer, preferir, ficar, está funcionando, imperativo; pronomes possessivos: dele, dela; comparação: mais.		
Lição 5	**Moradia**		33	85
Casas e apartamentos, imobiliária, decoração, a sala de aula, casas populares.	Descrever, identificar coisas; expressar contentamento, descontentamento; comparar; localizar.	Verbos: pretérito perfeito -ar, -er, -ir; comparação: mais, menos, tão, irregulares; preposições de lugar.		
Lição 6	**O dia a dia**		43	91
O dia a dia de brasileiros, calendário brasileiro, poesia e arte.	Relatar atividades no passado; falar sobre atividades do dia a dia.	Verbos: pretérito perfeito (irregulares): ser, ir, estar, ter, fazer, querer, poder, dar (presente e pretérito perfeito); pronomes pessoais: o, a, -lo, -la; locuções adverbiais de tempo.		
Revisão			55	99
Fonética				102
Apêndice gramatical				107
Textos gravados				114
Soluções				123
Vocabulário alfabético				131
Créditos				143

Lição 1

Conhecer pessoas

Bom dia

Boa tarde

Boa noite

O que vamos aprender?

Cumprimentar; pedir e dar informações pessoais; soletrar; despedir-se; comunicar-se em sala de aula.

Complete o diálogo.

- Como é seu nome?
- *Meu nome é*
- ....
- O senhor é americano?
- *Não, eu sou* ....
- *Sim, sou.*
- Como se escreve?
- ....
- Onde você mora?
- *(Eu moro na França, em Paris.)*
- *Eu moro* ....
- Qual a sua profissão?
- *Eu sou* ....

2 A1 Como é seu nome?

- Bom dia.
- Bom dia.
- Como é seu nome?
- Meu nome é Charles.

3 A2 Como se escreve?

- E como o senhor se chama?
- Eu me chamo Peter Watzlawik.
- Como?
- Peter Watzlawik.
- Como se escreve o seu sobrenome?
- W-A-T-Z-L-A-W-I-K. E a senhora, como se chama?
- ...

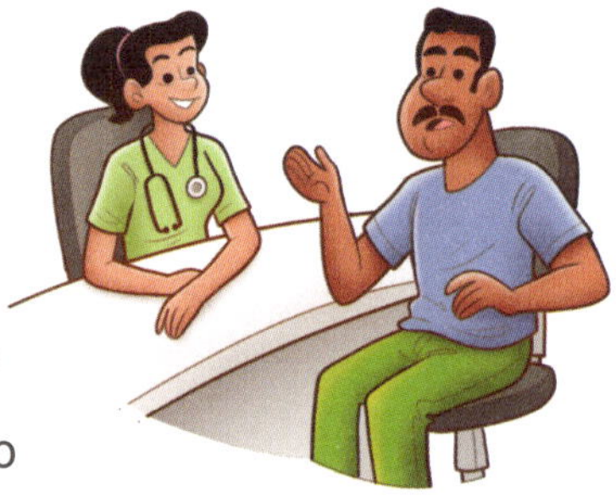

você

Como é o seu nome?

....

4 A3 O senhor é...?

- O senhor é americano?
- Sou, sim. E a senhora? É alemã?
- Não, não sou, sou holandesa.
- ...

Sua nacionalidade:

Eu sou ....

5 Nacionalidade

americano	americana
francês	francesa
alemão	alemã
canadense	canadense
coreano	coreana
chinês	chinesa

6 A4 Qual é a sua profissão?

- Qual é a sua profissão?
- Sou jornalista, trabalho no Jornal do Brasil.
- Onde o senhor mora?
- Moro na França, em Paris.

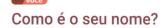

7 Profissão

o médico	a médica
o professor	a professora
o jornalista	a jornalista
o cozinheiro	a cozinheira
os arquitetos	as arquitetas
os psicólogos	as psicólogas
o consultor	a consultora
o camelô	a camelô
o microempresário	a microempresária

Sua profissão:

Eu sou ....

B1 Verbo irregular *ser*

	ser
Eu →	sou
Você/Ele/Ela →	é
Nós →	somos
Vocês/Eles/Elas →	são

LEMBRE-SE

* *tu* – Tu és brasileiro?
É usado em Portugal e em algumas regiões do Brasil.
* *vós*
Não é usado em português moderno.

Responda.

a) O que eles são? (estudantes)

....

b) O que ela é? (secretária)

....

c) Qual é a sua profissão? (jornalista)

....

d) Vocês são jornalistas? (médicos)

....

e) Os senhores são franceses? (italianos)

....

f) De onde você é? (alemão)

....

g) De onde você é? (suíça)

....

h) O que elas são? (professoras)

....

B2 Verbos regulares em *-ar*

	trabalhar
Eu →	trabalho
Você/Ele/Ela →	trabalha
Nós →	trabalhamos
Vocês/Eles/Elas →	trabalham

Outros verbos em *-ar*:

chamar-se	falar	estudar
morar	completar	andar
começar	perguntar	voar

Complete com os verbos *falar*, *trabalhar*, *morar*, *chamar-se*.

Ela ....
Mônica Ribeiro.
.... em
Belo Horizonte.
.... na
Fiat.
.... inglês.

Eles ....
Gilberto e Maria.
.... em Belém.
.... no Hotel
Sagres.
.... francês e
alemão.

Eu me ....
....
....
....
....

LEMBRE-SE

São exceções:
* Eu moro em **Portugal/Israel/Cuba**.
* Eu moro no **Rio de Janeiro/Cairo**.

B3 Onde? *-no, na, nos, nas, em*

país	cidade	lugar
no Brasil	em Lima	no restaurante
no Japão	em Caracas	no jornal
no Senegal	em Atenas	no hotel
no Peru	em Liverpool	no hospital
na França	em Manaus	na biblioteca
na Alemanha	em Paris	na escola
na Argentina		na farmácia
nos Estados Unidos		na cidade

Observe as ilustrações e escolha o país, a cidade ou o lugar correspondente.

Onde o Sr. Honda mora?

....

Onde elas moram?

....

Onde a Dra. Amélia trabalha?

....

você

Onde você mora e trabalha?

....

....

....

C Comandos utilizados no livro

1. Leia estes comandos.

Faça a pergunta.
Ouça.
Complete.
Corrija.
Leia.
Marque.
Relacione.
Responda.
Preencha.
Identifique.
Complete o diálogo.
Organize o diálogo.

2. Agora escolha o comando adequado e faça os exercícios.

a) Comando: Complete

João .... médico.
Ele .... no Hospital Geral.
Ele .... francês e inglês.
Marta .... com João.
Ela .... enfermeira.
Ela .... inglês e alemão.
Eles .... artistas.
Eles .... na televisão.
Eles .... no Rio.

b) Comando: ....

Como é seu nome?

....

Você é americano/americana?

....

Qual é a sua profissão?

....

c) Comando: ....

Você entrevista seu professor/sua professora.

- ....?
- Eu me chamo...
- ....?
- Eu sou professor(a) de Português.
- ....?
- Sou sim... / Não, eu sou...
- ....?
- Eu moro em...

d) Comando: ....

o artista	a escola
o médico	o Banco do Brasil
o professor	o filme
o jornalista	o *Shopping Center*
o motorista	o turismo
o bancário	o carro
o comerciante	o hospital
o hoteleiro	o jornal

D1 Gente

O Porão do Rock é um festival de música realizado desde 1998, na maioria das vezes acontecendo em Brasília e com algumas edições especiais em outras localidades.

Já reuniu diversos artistas e bandas, brasileiros e internacionais, como Raimundos, Galinha Preta, Ratos de Porão, Criolo, Pitty, Nação Zumbi, Muse, Helmet, Soulfly, Nightwish, entre tantos outros.

Em 2020, por conta do Coronavírus, foi realizada a primeira edição virtual do festival, com transmissão ao vivo gratuita de toda a programação pelo canal do Youtube.

1. Leia o texto, observe a foto e relacione.

a) Pitty	☐	edição virtual
b) Festival	☐	Cantora
c) 2020	☐	transmissão gratuita
d) Youtube	☐	acontecendo em Brasília
e) Localidade	☐	Porão do Rock

2. Como se fala em sua língua?

a) roqueiro ....

b) sucesso ....

c) grupo ou banda ....

d) atração ....

D2 No telefone

18 Ouça a gravação e preencha o bilhete.

9 **E1** Números

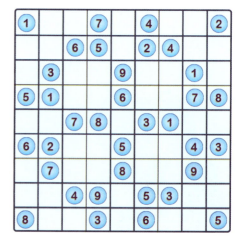

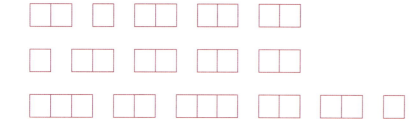

Ouça.

0 zero	**1** um	**2** dois	**3** três	**4** quatro
5 cinco	**6** seis	**7** sete	**8** oito	**9** nove
10 dez	**11** onze	**12** doze	**13** treze	**14** quatorze

LEMBRE-SE

* *100* cem
* *101* cento e um

15 quinze	**16** dezesseis	**17** dezessete	**18** dezoito	
19 dezenove	**20** vinte	**21** vinte e um	**22** vinte e dois	
23 vinte e três	**24** vinte e quatro...	**30** trinta	**40** quarenta	
50 cinquenta	**60** sessenta	**70** setenta	**80** oitenta	**90** noventa
100 cem	**101** cento e um	**102** cento e dois	**103** cento e três...	

10 **E2** Praticando os números

1. Ouça a gravação e marque os números.

a) 0

1 2 3 4 5 6 7 8 9 10

11 12 13 14 15 16 17 18 19 20

b) 21 22 23 24 25 26 27 28 29 30

31 32 33 34 35 36 37 38 39 40

c) 41 42 43 44 45 46 47 48 49 50

51 52 53 54 55 56 57 58 59 60

61 62 63 64 65 66 67 68 69 70

d) 71 72 73 74 75 76 77 78 79 80

81 82 83 84 85 86 87 88 89 90

91 92 93 94 95 96 97 98 99 100

11 **2. Ouça a gravação e escreva em algarismos.**

3. Trabalhe com seu/sua colega.

a) Leia dez números para seu/sua colega escrever.

b) Agora ouça seu/sua colega lendo os números que escreveu.

c) Resolvam o Sudoku.

1			7		4			2
		6	5		2	4		
	3			9			1	
5	1			6			7	8
		7	8		3	1		
6	2			5			4	3
	7			8			9	
		4	9		5	3		
8			3		6			5

Lição 2

Encontros

O que vamos aprender?

Apresentar alguém; cumprimentar; propor alguma coisa; convidar; perguntar as horas; comunicar-se em sala de aula.

Complete os diálogos com estas frases.

- Vou bem, obrigado.
- Oi!
- Não, não posso.
- Tudo bem.
- São quatro e vinte.
- Vamos tomar um cafezinho?
- Muito prazer.
- Às cinco.

- Zé, esta é minha irmã Helena.
- ....

- Este é meu amigo Carlos.
- ....

- Oi, tudo bem?
- ....
- ....
  ....
- Vamos.
- A que horas?
- ....
- Você pode?
- ....
- Que horas são?
- ....
- Como vai?
- ....

12 A1 Este é meu colega

- Como vai?
- Vou bem, obrigada. E você?
- Bem, obrigado. Este é o meu colega Carlos.
- Muito prazer.
- Prazer.

- Oi, João, tudo bem?
- Tudo bem.
- Esta é minha irmã.
- Oi.
- Oi.

13 A2 Vamos...

- **Vou almoçar no "Tropeiro". Você vai também?**
- Vou. Quando?
- **Amanhã, ao meio-dia.**
- Tudo bem.

- **Vamos ao cinema?**
- Quando?
- **Hoje de noite.**
- Hoje não posso.
- **Então vamos na quinta.**
- Ótimo.

- **Vamos ao jogo de futebol?**
- Quando?
- **No domingo à tarde.**
- Combinado.

- **Vamos ao supermercado?**
- A que horas?
- **Às dez.**
- Às dez eu não posso. Vamos às nove.
- **Tudo bem.**

dias da semana		períodos do dia
segunda-feira terça-feira quarta-feira quinta-feira sexta-feira sábado domingo	hoje amanhã	de manhã ao meio-dia de/à tarde de/à noite

atividades		
ir	ao cinema ao teatro ao concerto ao jogo de futebol	almoçar jantar tomar cafezinho

A3 Que horas são?

- Que horas são?
- Oito e quinze.
- Já? Estou atrasado!

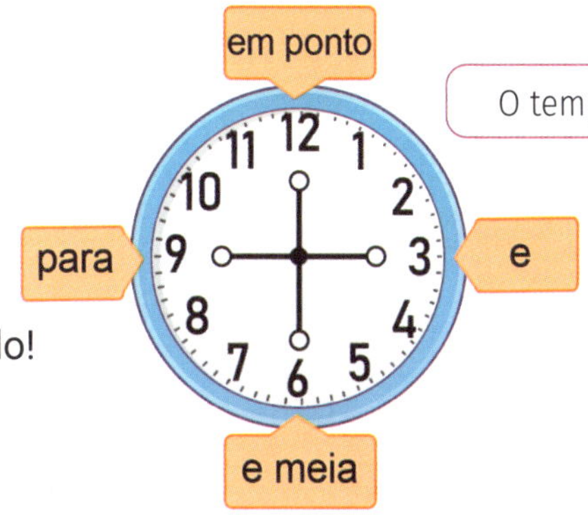

1. Relacione.

- [3] É uma e vinte.
- [ ] É uma e meia.
- [ ] São quinze para a uma.
- [ ] São vinte para as dez.
- [ ] São dez para o meio-dia.

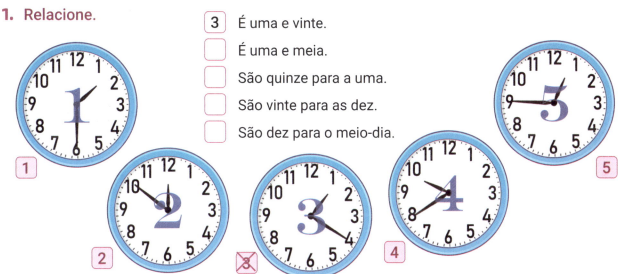

2. Trabalhem com seus relógios e perguntem as horas.

A4 A que horas?

- Vamos tomar um cafezinho e conversar um pouco?
- A que horas?
- Às duas e meia mais ou menos, depois da reunião.
- Tudo bem.

A5 Você pode...?

- Você pode ir ao banco?
- A que horas?
- Às quatro.
- Não posso. Tenho aula de Português das três e meia às quatro e meia.

atividades		
dentista trabalhar	reunião cinema	aula de... banco

Preencha sua agenda e fale com seus/suas colegas.

AGENDA

segunda ....
....
terça ....
....
quarta ....
....
quinta ....
....
sexta ....
....
sábado ....
....
domingo ....
....

B1 Pronomes demonstrativos e possessivos

masculino singular	Este	é	o meu o nosso	amigo. irmão. colega.
feminino singular	Esta	é	a minha a nossa	amiga. irmã. colega.
masculino plural	Estes	são	os meus os nossos	amigos. irmãos. colegas.
feminino plural	Estas	são	as minhas as nossas	amigas. irmãs. colegas.

Esta é a minha amiga Elaine.

1. Complete.

meu/nosso amigo	.... amiga	.... amigas
.... médico	.... médica	.... irmãos
.... chefe	.... chefe	.... professoras
.... marido	.... mulher	.... colegas

2. Faça frases.

Exemplo: *Este é o nosso professor. Esta é a minha borracha.*

professora colega amigas chefe mulher
marido dentista ex-marido

3. Faça frases.

Exemplo: *Estes são meus óculos. Este é meu/minha...*

óculos caderno calculadora
durex tesoura computador
relógio bloco de anotações
lápis celular grampeador
caneta bolsa régua

B2 Verbo irregular *ir*

		ir
Eu	→	vou
Você/Ele/Ela	→	vai
Nós	→	vamos
Vocês/Eles/Elas	→	vão

Complete.

Eu .... ao jogo de futebol hoje.

Nós .... à academia sexta-feira.

Vocês .... ao barzinho amanhã?

Ela .... à faculdade de segunda a sexta.

B3 Futuro imediato

Combine os elementos e faça frases com o verbo *ir*.

Exemplo: *Eu vou viajar no domingo.*

ir	+	infinitivo	
Vou		almoçar	ao meio-dia

Eu Você/Ele/Ela Nós Vocês/Eles/Elas	ir	estudar almoçar viajar dançar completar morar	no restaurante. Português! no domingo. em Recife. o exercício. com Márcia.

B4 Verbos irregulares *poder*, *ter*

Fale com seu/sua colega.

Exemplo:

- *Você pode almoçar ao meio-dia?*
- *Não posso. Não tenho tempo.*

		poder	**ter**
Eu	→	posso	tenho
Você/Ele/Ela	→	pode	tem
Nós	→	podemos	temos
Vocês/Eles/Elas	→	podem	têm

ter programa **não ter celular** **ter folga** **ter dentista**
não ter dinheiro **não ter carro** **não ter tempo** **ter muito trabalho**

- Você pode ir ao banco às duas e meia?
- ....
- Podemos jantar juntos amanhã?
- ....
- Eles podem ir ao cinema?
- ....
- Vocês podem trabalhar no domingo?
- ....
- Posso falar com o senhor amanhã?
- ....
- A senhora pode telefonar hoje à tarde?
- ....
- Ela pode comprar este carro?
- ....
- Posso ligar para você para confirmar a consulta?
- ....

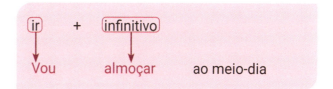

17 C1 Almoço

- Oi, Clarice, como vai?
- Bem. O que você vai fazer agora?
- Vou almoçar, já é meio-dia e meia.
- Eu também vou. Oi, Marina.
- Oi, Clarice. Oi, Beatriz.
- Vamos almoçar, Marina?
- Que pena, não posso. Tenho reunião à uma hora.
- Então, bom trabalho.
- Obrigada. Tchau.
- Tchau.

Converse com seus/suas colegas.

- O que você vai...?
- Vou ao cinema/ao jantar/tomar cafezinho/trabalhar/...
- \+ Eu também...
  − Que pena...

18 C2 Convite para um fim de semana

- Este fim de semana estou livre.
  Podemos ir à praia sexta-feira de tarde.
- Eu só estou livre no sábado de manhã.
- Então, vamos sair no sábado cedinho, assim chegamos bem cedo também.

fim de semana	de manhã
sexta-feira	de tarde
sábado	de noite
domingo	bem cedo

(não) estar livre
(não) poder

Faça diálogos usando esses elementos.

- fazer compras
- fazer piquenique
- viajar para...
- trabalhar
- ir à pousada
- ir em excursão
- ir ao Rio
- ir ao *shopping*

D1 Sugestões para o fim de semana

Examine esses anúncios e identifique o tipo de serviço que oferecem.

- [C] *Show* de música popular
- [ ] Restaurante
- [ ] Teatro
- [ ] Pizzaria
- [ ] Churrascaria
- [ ] Danceteria
- [ ] Bar para namorados

A

Comédia
AS CINZAS DE MAMÃE
de Duarte Gil da Silva

Depois da morte da mãe, as irmãs Nair, Nívea e Nalva fazem uma lavagem de roupa suja familiar enquanto decidem o destino das cinzas trazidas do crematório. (80 min.) 12 anos.

TEATRO JARDIM SÃO PAULO
(371 lugares)
Av. Leôncio de Magalhães, 382,
Jd. São Paulo
Tel. 6959-2952 – Sexta 21h30, sábado 21h, domingo 19h.

B

Monte Verde
Rua Barra do Tibagi, 406 – Bom Retiro Tel. 3331-0658 (80 lugares) C/c.: todos Cd.: MRE V. Estac. na Rua General Flores 290, www.pizzariimonteverde.com.br Aberto em 1956. Nessa casa antigona, as pizzas têm a espessura de papel. Caesar (muçarela de búfala, alface americana, bacon, parmesão).

C

Musical BIBI
IN CONCERT III POP
de Bibi Ferreira
Com dez músicos e um quarteto vocal, ela canta temas de Dolores Duran, Tom Jobim, Chico Buarque, um *pot-pourri* de tangos e até um *rap*. (80 min.) 14 anos.
Teatro Shopping Frei Caneca (600 lugares). Rua Frei Caneca 569, Bela Vista. Tel. 3472-2222.

D

BARBOLLA
Bar e Restaurante
Rua Três Irmãos, 460 Morumbi. Tel.: 3722-0792 www.barbolla.com.br
18h/1h (fecha dom. e seg.) C/c: todos. Cd: M R e V. Couvert art.
(ter. a sáb. a partir das 21h) Estac. c/manobrista.
Os múltiplos ambientes e a iluminação indireta com velas e abajures criam cantinhos especiais para uma boa conversa sussurrada. De terça a sábado, músicos ao violão interpretam sucessos da MPB.

E

MAEVVA
Uma moçada de idade universitária transformou a casa num dos agitos da Atílio Inocente.
Rua Professor Atílio Inocente, 376 – Vila Olímpia Tel. 3044 6222, c/c: todos. Às 23h começa a funcionar a pista, ao embalo de *dance* eletrônico e *Black Music*. Para beber: Caipirosca.

F

BABY BEEF RUBAIYAT
Alameda Santos 86, Paraíso, Tel.: 3141-1188 e 3289-6366 Metrô Brigadeiro (280 lugares). Av. Brig. Faria Lima 2954, Itaim Bibi Tel. 3078-9488 (240 lugares). Aberto em 1957. Grelhados preparados com precisão e ao gosto do cliente garantiram à churrascaria o nono título consecutivo de melhor carne da cidade na eleição anual de Veja São Paulo.

19 D2 Telefonemas

1. Ouça os três diálogos e indique a sequência.

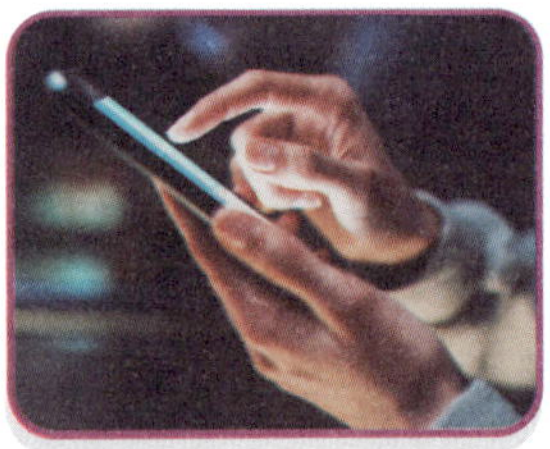

Sequência ....

Sequência ....

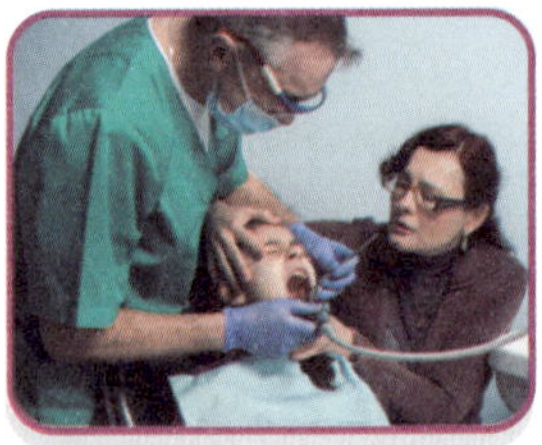

Sequência ....

2. Ouça cada um dos diálogos novamente. Depois responda.

Secretária eletrônica	C	E
a) Alberto tem mesa reservada no Stúdio 3	☐	☐
b) Márcia não pode jantar com Alberto	☐	☐
c) Alberto vai telefonar para Márcia à noite	☐	☐
d) Alberto pode jantar no Stúdio 3 amanhã	☐	☐
Teatro Municipal		
a) O concerto começa às 6.........	☐	☐
b) Você pode comprar a entrada na hora do concerto..........	☐	☐
c) O concerto é amanhã.............	☐	☐
d) Não há mais entradas para o concerto	☐	☐
Dentista		
a) Ele é dentista	☐	☐
b) Ele só tem tempo no sábado para ir ao dentista.....	☐	☐
c) O dentista só trabalha no sábado	☐	☐

E Comunicação na sala de aula

1. Leia estas frases típicas da comunicação em aula.

aluno

- Não entendi.
- Como se escreve...?
- Pode repetir, por favor?
- O que está escrito...?
- Mais alto, por favor.

professor

- Posso continuar?
- Leia, por favor.
- Entenderam?
- Faça o exercício B.
- Alguma dúvida?
- Trabalhem em pares, por favor.

2. Quem diz o quê?

1 Professor   2 Aluno

- ☐ Estou perdido.
- ☐ Silêncio!
- ☐ Está claro?
- ☐ Em que página?
- ☐ Como se fala "pencil" em português?
- ☐ Faça o exercício A em casa!
- ☐ Posso sair?

Lição 3

Comer e beber

O que vamos aprender?

Pedir informações; pedir alguma coisa; agradecer.

O que você come ou bebe?

1	no restaurante	2	na lanchonete		
1,2	cerveja		refrigerante		peixe grelhado
	sanduíche		feijoada		suco de laranja
	vinho		caipirinha		

- Mesa para quantas pessoas?
- Para duas. Quanto tempo vamos esperar?
- Você está com fome?
- Não, mas estou com sede.

- Vamos tomar um aperitivo? Você gosta de caipirinha?
- Gosto.

- O que você vai pedir?
- Eu quero um filé com legumes. E você?
- Para mim, um espeto misto.

A1 Mesa para quantas pessoas?

- Mesa para quantas pessoas?
- Para duas. Quanto tempo vamos esperar?
- Uns 20 minutos mais ou menos.
- Tudo bem.

A2 Vamos tomar um aperitivo?

- Vamos tomar um aperitivo antes do almoço?
- Vamos.
- Você gosta de caipirinha?
- Gosto.
- Garçom, duas caipirinhas de pinga, por favor!

  (...)
- Sua mesa está livre agora, senhor.
- Obrigado.

A3 O que a senhora vai pedir?

- O que a senhora vai pedir?
- Eu quero um filé grelhado com legumes.
- Malpassado ou bem-passado?
- Ao ponto.
- E o senhor?
- Eu quero um espeto misto.
- E o que mais?
- Salada mista, farofa e batata frita para dois.
- E para beber?
- Uma cerveja bem gelada.
- Para mim, uma água mineral com gás.

24 A4 Na lanchonete

- Você está com fome?
- Não. Mas estou com sede.
- O que você vai pedir?
- Um suco de laranja bem grande.
- Você não quer um sanduíche?
- Não, sanduíche não. Só suco de laranja.
- Garçom, um suco de laranja grande, um suco de maracujá e um bauru.

25 A5 Queremos convidar vocês...

- Queremos convidar você e seu marido para um almoço tipicamente brasileiro no domingo.
- Que bom! Como vai ser?
- Primeiro, um aperitivo, uma caipirinha. Depois, o almoço: uma salada bem gostosa, arroz, feijão, carne e farofa. Frutas e doces na sobremesa. E um bom cafezinho. Vocês vão gostar.
- A que horas vai ser?
- Ao meio-dia.
- Combinado.

Converse com seu/sua colega e convide para um almoço/jantar de seu país.

B1 Pronomes possessivos: *seu, sua, seus, suas*

Cláudia, este é o seu livro?
Mercedes, esta é a sua casa?
Estes são seus amigos alemães?
Estas são suas fotos?

	Singular	Plural
Masculino	seu	seus
Feminino	sua	suas

Este é o seu paletó?

1. Preencha as lacunas.

a) Você sempre almoça com .... irmã no domingo?

b) .... amigos são brasileiros?

c) Marcos, como se chamam .... amigas?

d) Onde mora .... professor?

2. Faça frases com: *meu, seu, nosso,...*

Eu convido Você quer Eu vou beber caipirinha com Vocês gostam do Nós queremos convidar	... filhos ... amigas ... filé ... cafezinho ... colega	malpassado. antes do jantar. bem doce. para jantar. no próximo sábado.

B2 Verbos em *-ar*: *gostar de*

Eu gosto de cerveja, e você? Do que você gosta?
Eu gosto de caipirinha e batidas.

1. Preencha as lacunas com *gostar de*.

Ele .... falar Português.

Nós .... morar aqui.

Eu .... tomar um aperitivo antes do jantar.

Elas não .... comer muito de manhã.

2. Faça perguntas com *gostar de* + artigo.

Exemplo: *o seu trabalho (você)*
Você gosta do seu trabalho?

* museus de arte (vocês)?
* minha amiga (ele)
* os seus novos colegas (vocês)?
* a sua nova casa (você)?
* feijoada no sábado (eles)

de + o → do
de + a → da
de + os → dos
de + as → das

3. Fale com suas/seus colegas.

* E seus filhos, do que eles...? Eles...
* E sua mulher...?
* E seu marido...?
* E sua amiga...?
*...

comer	carne, doces, frutas tropicais, pudim, feijão, batatas fritas, massas...
tomar	sopa, sorvete, suco de laranja, batida de coco...

B3 Verbo irregular *estar*

		estar
Eu	⟶	estou
Você/Ele/Ela	⟶	está
Nós	⟶	estamos
Vocês/Eles/Elas	⟶	estão

1. Faça frases.

Eu Você Ele Ela Nós Vocês Eles Elas	estar	na escola. na universidade. no escritório. no médico. em Londres. livre hoje à noite. com fome. com sede.

2. Complete o texto.

Minha família não está em casa.

Eu .... na escola, meu marido .... na praia, com uma amiga.

Minha filha e dois amigos .... no clube. Eu não sei onde .... meu filho. Mas nós sempre .... em casa no domingo para o almoço.

B4 Verbos regulares em *-er*

		beber
Eu	⟶	bebo
Você/Ele/Ela	⟶	bebe
Nós	⟶	bebemos
Vocês/Eles/Elas	⟶	bebem

Outros verbos em *-er*:

comer	oferecer	correr
aprender	escrever	responder

Complete.

Bêbados
Eu *bebo* ....
porque ela ....
Nós ....
porque eles ....

Corrida
Eu *corro* ....
porque ela ....
Nós ....
porque eles ....

E-mails
Eu não *respondo* ....
porque ela não ....
Nós não ....
porque eles não ....

B5 Verbo irregular *querer*

		querer
Eu	⟶	quero
Você/Ele/Ela	⟶	quer
Nós	⟶	queremos
Vocês/Eles/Elas	⟶	querem

Eu quero uma alimentação saudável.
Você quer emagrecer?

1. Complete

Eu .... ir ao restaurante, mas ele não .... Nossos filhos .... comer hambúrguer, mas nós não ....

2. O que você quer fazer depois da aula/no fim de semana/nas férias/...? Pergunte também para seus/suas colegas.

Quero ir para casa. | No fim de semana, Paulo e Raquel querem viajar. | fazer um lanche | dançar | visitar meus amigos | ir ao cinema | dormir até mais tarde | jogar bola | conhecer Recife

3. Relate para a classe.

Ela é professora. Agora ela está na classe.

GRAMÁTICA

B6 *Ser* ou *estar*

Faça frases.

Exemplo:
Norma é brasileira.
Ela está na França para estudar.

Luigi	americano
João	japonesa
Norma	alemão
Walter	ingleses
Romeu e Julieta	...
Tokiko	estudante
François	engenheira
Eu/Nós	turista

no Brasil	para	visitar amigos.
no Japão		trabalhar.
na França		as férias.
...		estudar.
... na escola		visitar a cidade.
em Fortaleza		aprender Português.
...		...

C Observe as situações e imagine os diálogos.

O vegetariano
Você quer levar seu(sua) amigo(a) para almoçar. Você está com muita fome e gosta de pratos italianos. Seu(sua) amigo(a) come pouco e é vegetariano/a.

Não posso
Você convida um(a) colega para um almoço de negócios, na quinta-feira ao meio-dia e meia.
Ele(Ela) é muito ocupado(a). Vocês mudam o dia, a hora e marcam um jantar.

A espera
Você chega muito cedo ao restaurante. Seu(Sua) amigo(a) só vai chegar dentro de meia hora.
Você conversa com o garçom e pede um aperitivo, uma mesa para dois etc.

26 **D1** Carne e peixe

1. Você vai ouvir dois diálogos. Depois de ouvi-los, marque com um X as respostas certas.

No diálogo 1, o freguês está	☐ contente.	☐ descontente.
No diálogo 2, o freguês está	☐ contente.	☐ descontente.
No diálogo 1, o freguês come	☐ carne.	☐ peixe.
No diálogo 2, eles comem	☐ carne.	☐ peixe.

2. Ouça o diálogo 1 novamente e responda.

O churrasco está...

☐ bem-passado.
☐ malpassado, mas gostoso.
☐ malpassado.
☐ ao ponto.

3. Ouça o diálogo 2 novamente e responda.

O restaurante...

☐ serve almoço e jantar. ☐ tem peixe como especialidade. ☐ serve peixe.

D2 Feijoada

1. Aqui estão dois títulos para o anúncio abaixo. Qual é o correto?

Feijoada em casa? Só a feijoada do Disque-Feijoada.

QUER COMER FEIJOADA COM SEUS AMIGOS? RESERVE UMA MESA NO DISQUE-FEIJOADA!

Você quer oferecer uma boa feijoada aos seus amigos?
É só ligar para Disque-Feijoada, pedir uma feijoada completa e aguardar.
Em 30 minutos, você vai ter sua feijoada em casa.
Sem trabalho, sem dor de cabeça.
Convide seus amigos e ofereça a eles a feijoada completa do Disque-Feijoada.
Você vai gostar! E eles também!
Às 4as e aos sábados, das 11 às 3 da tarde.
Fone: 3719-3500.

2. O anúncio diz que:

☐ O Disque-Feijoada trabalha à noite.
☐ O Disque-Feijoada leva a feijoada à sua casa.
☐ Você pode oferecer uma feijoada completa a seus amigos sem muito trabalho.
☐ Você pode comprar a feijoada na sexta-feira.

E1 Almoço e jantar

Trabalhe com o cardápio da página 17.

Almoçando

a) Hoje está quente e você está com pressa. O que você vai pedir?
b) Hoje está muito frio e você está com muita fome. O que você vai pedir?

Jantando

a) Você não quer um jantar com muitas calorias. O que você vai pedir?
b) É dia de seu aniversário. Você quer um jantar especial. O que você vai pedir?

E2 A mesa

Indique a letra correspondente.

1. a colher de sobremesa .... H
2. a colher de sopa ....
3. a colher de chá ....
4. o prato ....
5. o garfo ....
6. o guardanapo ....
7. a bandeja ....
8. a faca ....
9. o açucareiro ....
10. o bule ....
11. o copo ....
12. a toalha ....
13. a xicrinha ....
14. a xícara ....
15. a colherinha ....

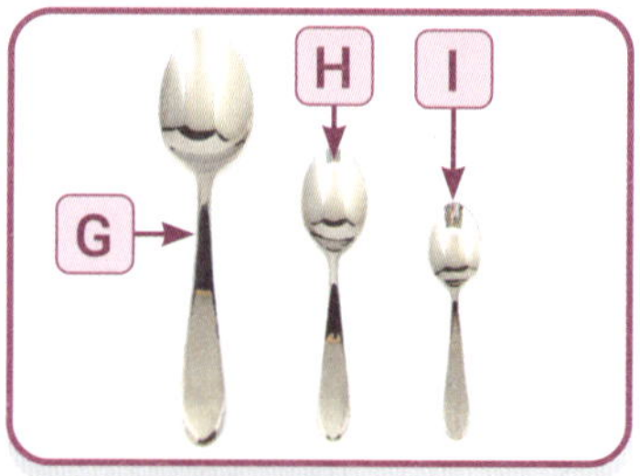

Lição 4

Hotel e cidade

O que vamos aprender?

Expressar desejos, preferência, dúvida; pedir informação (localização, direção); confirmar algo; sugerir, reclamar.

Relacione os diálogos e as ilustrações.

a
- Pois não?
- Quero fazer uma reserva.

b
- A senhora quer um apartamento com cama de casal?
- Sim, quero uma cama confortável.

c
- João, leve a bagagem da senhora para cima! O apartamento dela é o 412.
- Certo!

d
- Queria mudar de quarto. É que o chuveiro não está funcionando. A água está fria.

e
- Por que a senhora não vai ao museu? Fica perto daqui.
- Acho que não vou hoje. Talvez amanhã.

f
- Por favor, onde é o Correio?

27 A1 Quero fazer uma reserva

Ouça o diálogo e preencha a reserva.

- Hotel Deville Colonial, às suas ordens.
- Quero fazer uma reserva. Um apartamento duplo.
- Para quando?
- Para dia 10 de novembro.
- Quantos dias o senhor vai ficar?
- 3 dias.
- Seu nome, por favor?
- Richard Bates.
- Está reservado, sr. Bates. Um apartamento para duas pessoas.
  Entrada no dia 10 de novembro e saída no dia 13 de novembro.
- Certo.

H****
HOTEL DEVILLE COLONIAL
Rua Comendador Araújo, 99
80.000-000 – Curitiba – PR – Tel. (41) 3883-4777
Localização: Centro. Próx. à Praça Osório e à Cia. Telefônica.
Acomodações: 79 apartamentos
Serviços no Apartamento: Telefone, geladeira, TV a cabo, ar-condicionado, calefação, música ambiente, DVD.
Serviços do Hotel: Restaurante, bar, *coffee shop*, sal. de convenções (210), academia, Wi-fi, estacionamento, manobrista, cofre. Taxa de serviço (10%) incl. na nota. Aceita cartão de crédito.

RESERVA
Nome: ....
Entrada: ....
Saída: ....
Tipo de apartamento: ....

28 A2 Prefiro um apartamento de fundo

- Pois não?
- Boa tarde. Por favor, quero um apartamento simples.
- Com ou sem internet?
- Com internet. De quanto é a diária?
- Aqui estão nossos preços. Os apartamentos de frente são mais caros.
- Prefiro um apartamento de fundo. Não gosto do barulho da rua.
- Muito bem. Um documento, por favor.
- Meu passaporte.
- Obrigado. João, esta senhora vai ficar no 315. Leve a bagagem dela para cima.

Quero	um apartamento	simples/duplo	com	televisão/frigobar/internet/
Prefiro	uma suíte			ar-condicionado/banheira/
	uma suíte especial			vista para o mar
			de	frente/fundo

29 A3 O chuveiro não está funcionando

- Pois não?
- Queria mudar de quarto.
- Algum problema?
- É que o chuveiro não está funcionando e o quarto tem cheiro de mofo.
- Não tem problema. A senhora pode mudar para o 308.

a rua/o elevador ao lado	é muito	barulhento/a
o ar-condicionado/o chuveiro/o telefone/a televisão	não está funcionado	
a cama	está	muito dura
o quarto	é	muito escuro
	é	muito pequeno
	está	abafado
	está	com cheiro de mofo

A4 É perto?

- Eu gostaria de conhecer a cidade. O que o senhor pode me recomendar?
- Por que a senhora não vai visitar o Museu Paranaense?
- A que horas abre?
- Acho que às 9.
- É perto?
- Não muito. A senhora precisa tomar um táxi ou um ônibus.
- Mas eu quero andar a pé. Acho que não vou visitar o museu hoje. Talvez amanhã.
- Então, por que a senhora não vai ao Passeio Público? Fica perto daqui.

Ficar longe Ficar perto/ficar a 5 km (de...)		
tomar	ônibus	andar a
andar de	táxi	pé
ir de	carro	ir a pé

Atrações em Curitiba

Parque Barigui
Bosque João Paulo II
Museu Oscar Niemeyer
Museu Paranaense

Primeiro, conheça a capital

Fundada em 1693, Curitiba é uma grande cidade, com infraestrutura de hotéis e restaurantes, aeroportos, agências de turismo, bares, casas de show, casas de chá, museus, parques, antiquários e *shoppings*, que vão tornar sua visita muito agradável.

Você pode começar a visitar Curitiba pelo setor histórico, cujas construções são dos séculos XVIII e XIX e fazem do local um museu ao ar livre. Aproveite e conheça também a casa Romário Martins, última construção colonial da cidade.

31 A5 Siga em frente...

1. Ouça os diálogos e organize outros diálogos semelhantes.

- Uma informação, por favor.
- Pois não.
- Onde é a rodoviária?
- Siga em frente até o primeiro sinal. Depois vire à direita. A rodoviária fica à esquerda.
- Pois não?
- Por favor, onde é o Correio?
- Não sei. Eu não sou daqui.
- Obrigado.

LEMBRE-SE

* Pois não? (Posso ajudar?)
* Pois não. (Claro!)

primeiro segundo terceiro	sinal quarteirão

primeira segunda terceira	esquina quadra

2. Você está na padaria indicada na planta. Pergunte onde ficam o Largo de Nossa Senhora do Bom Parto, o colégio, a doceria... Desenvolva um diálogo com seu/sua colega.

B1 Verbo *ficar*

1. Leia o exemplo e faça o mesmo.

- Vou à Bahia na semana que vem.
- Quanto tempo você vai ficar lá?
- Vou ficar 5 dias.

- Ele vai para Paris.
- Quanto ....?
- Ele ....

- Nas férias, vamos ficar com nossos pais.
- Quanto ....
- Nós ....

2. Leia o exemplo e faça o mesmo.

Exemplo: *Eu/estar no Rio/ficar em Ipanema.*

Quando eu estou no Rio, eu fico em Ipanema.

Eu/estar em férias/ficar na praia.

....

Nós/ir ao clube/ficar na piscina.

....

Eles/visitar Belém/ficar com amigos.

....

Ela/viajar para o Brasil/ficar na Amazônia.

....

Eu/ir à casa da fazenda/ficar longe do barulho da cidade.

....

você

3. Você vai viajar? Para onde? Quanto tempo você vai ficar?

B2 Pronomes possessivos: *dele, dela, deles, delas*

A casa do José.	A casa dele.	Sua casa.
A casa do José e da Marta.	A casa deles.	Sua casa.
Os filhos da Marta.	Os filhos dela.	Seus filhos.
Os filhos da Marta e da Maria.	Os filhos delas.	Seus filhos.

1. Fale sobre estas pessoas.

Exemplos: *Carlos é engenheiro. O apartamento dele é bonito.*
Seu apartamento é bonito.

Carlos (45), São Paulo, consultor, apartamento/bonito, carro/grande, namorada/estudante, vida/boa	Célia (27), Salvador, secretária, apartamento/pequeno, salário/baixo, mãe/empregada doméstica, filhos/pequenos, vida/difícil	Pedro (40), Sílvia (40), Aracaju, arquitetos, casa/perto da praia, escritório/no centro de Aracaju, filhos/estudantes, vida/boa

2. Fale com seu/sua colega.

Fale sobre filhos, família, casa...

Meu trabalho é difícil. Eu trabalho...
Você mora num apartamento?
Fale sobre seu trabalho.
Moro, sim. É muito caro, mas bonito.

3. Fale sobre seu/sua colega.

B3 Comparação com *mais*

Os apartamentos de frente para o mar...
Os escritórios de frente para a praça...
Os quartos de fundo...
As casas de campo...
As lojas da rua principal...

Exemplo:
Os apartamentos de frente para a avenida são mais claros, mas também mais barulhentos.

LEMBRE-SE

~~mais grande~~	= maior
~~mais pequeno~~	= menor
~~mais bom~~	= melhor
~~mais ruim~~	= pior

mais caro	mais claro
mais barato	mais escuro
mais barulhento	mais frio
mais tranquilo	mais quente

B4 Verbos regulares em *-ir*

		abrir
Eu	⟶	abro
Você/Ele/Ela	⟶	abre
Nós	⟶	abrimos
Vocês/Eles/Elas	⟶	abrem

Outros verbos em *-ir*:

partir	desistir	discutir
assistir	permitir	dividir
decidir	proibir	transmitir

Faça frases.

Eu A bilheteria do teatro As lojas Nós Eles	abrir	a loja às 9 horas. às 6 horas. às 8 e meia. a correspondência. a porta do carro.

B5 Verbos irregulares: *fazer*, *preferir*

		fazer	preferir
Eu	⟶	faço	prefiro
Você/Ele/Ela	⟶	faz	prefere
Nós	⟶	fazemos	preferimos
Vocês/Eles/Elas	⟶	fazem	preferem

1. Quem faz o quê?

Eu O professor A agência Nós As crianças	fazer	caminhada. yoga. reservas do hotel. natação. muitos exercícios.

2. O que você prefere?

Você — esta sala ⟷ outra sala (mais clara)

Você prefere esta sala?

Não, prefiro a outra. É que ela é mais clara.

Vocês — hotel grande? ⟷ pousada (mais barata)
O senhor — quarto de frente? ⟷ quarto de fundo (mais tranquilo)
Ela — viajar de avião? ⟷ de carro (não gosta de aviões)
Vocês — morar em casa? ⟷ apartamento (mais seguro)
A senhora — viver em São Paulo? ⟷ em Curitiba (menor)
Ele — batatas? ⟷ massas (italiano)

B6 Verbos *abrir*, *fazer*, *preferir*

Complete.

a) De manhã, ele .... ficar em casa. Mas, à tarde, ele .... hidroginástica na academia.

b) De manhã, eu .... a porta do quarto sem barulho.

c) À noite, nós não .... nada. Nós .... dormir cedo.

d) Nossos amigos .... a loja só às 10 horas. Eles .... começar mais tarde.

e) A bilheteria está fechada agora. Ela só .... às 9 horas.

f) O diretor .... a correspondência. Ele .... ler as cartas pessoalmente.

B7 Está funcionando

abrir ir preferir	abrindo indo preferindo	ler poder querer	lendo podendo querendo
estar trabalhar	estando trabalhando	ser ter	sendo tendo

LEMBRE-SE

falar – falando
comer – comendo
discutir – discutindo

Faça frases.

Exemplo: *Esta loja está abrindo mais cedo esta semana.*

Esta loja Este aluno Ela Eu Os estudantes Meus filhos Nós Vocês	fazer abrir ir querer entrar morar (não) poder trabalhar	muito barulho. mais cedo. esta semana. falar com o professor. na igreja. sair à noite. muito devagar. para Recife.

B8 Imperativo

trabalhar → trabalhe
fazer → faça
escrever → escreva
ler → leia
abrir → abra
seguir → siga

a) fazer silêncio

b) abrir a janela

c) virar

d) reduzir a velocidade

e) beber

f) parar

g) seguir

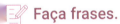

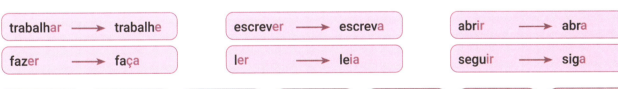

C1

1. Você está hospedado no melhor hotel da cidade. Seu/Sua colega faz muitas perguntas sobre o hotel.

a diária | o conforto | o serviço | os quartos | o bar e o restaurante

H****
HOTEL DAS CATARATAS
Rodovia das Cataratas, km 28 – 85890
Foz do Iguaçu – PR – Tels.: (0455) 74-2666 e 72-4479
Localização: Parque Nacional Iguaçu
Acomodação: 200 apartamentos.
Serviços no Apartamento: Telefone, geladeira, TV a cabo, ar-condicionado, aquecimento central, música ambiente.
Serviços do Hotel: Restaurante, bar, *coffee shop*, sala de reuniões (50), internet, estacionamento, piscina aquecida, quadra de vôlei, de futebol, de tênis, *playground*, cofre.
Serviços Especiais: Loja de *souvenirs*, joalheria, agência de viagens, mirante. Taxa de serviço (10%) incluída na nota. Aceita cartão de crédito.

2. Você está falando com a camareira. Você não está satisfeito(a) com o hotel.

ordem	⟷	desordem
limpar	⟶	banheiro/quarto
faltar	⟶	toalhas/sabonete/...
não ter	⟶	água/cerveja/... no frigobar
sujo	⟷	limpo
arrumar	⟶	quarto/cama
trocar	⟶	lençóis/toalhas/...
não funcionar	⟶	televisão/luz/telefone/...

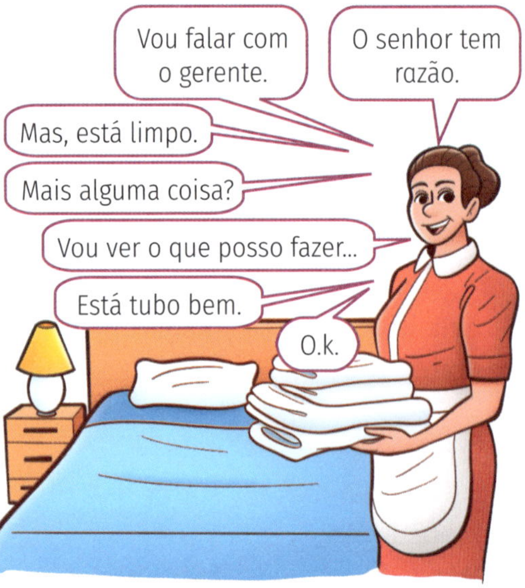

Vou falar com o gerente.
O senhor tem razão.
Mas, está limpo.
Mais alguma coisa?
Vou ver o que posso fazer...
Está tubo bem.
O.k.

C2 Caminhos

1. Consulte o mapa da página 26. Você está com sua amiga. Ela está dirigindo. Vocês estão na praça Sílvio Romero e querem ir até a drogaria no Largo Nossa Senhora do Bom Parto. Indique o caminho a ela.

2. Explique onde você mora e como você vai para casa depois da aula de Português. (pegar ônibus/metrô/bonde no... /van/micro-ônibus. / descer do ônibus/metrô/bonde no... /van/micro-ônibus em... andar até...)

3. No domingo, vai haver um jogo de futebol muito importante em sua cidade. Converse sobre o melhor modo (carro/ônibus/bonde/metrô...) de chegar ao estádio.

4. Escolha no jornal um evento (concerto, teatro, *show*...) no fim de semana. Converse sobre o melhor modo de chegar lá e combine o encontro.

D1 Quem procura o quê?

1. Leia os 4 textos abaixo. Leia, depois, os anúncios e escolha, para cada pessoa, o local ideal.

a) ☐ José Salviano Tavares Filho, empresário mineiro. No momento, ele está fazendo planos para passar duas semanas na praia com a família, num ambiente doméstico, longe de atividades sociais.

b) ☐ Maricota Cajado Bastos, gerente, do Paraná. Neste ano, quer passar algumas semanas num bom hotel nas montanhas.

c) ☐ Arlindo Moreira de Freitas, médico aposentado, gosta de passar metade do ano na praia.

d) ☐ Ivo Azevedo, fazendeiro, do interior de Minas Gerais. Gosta de praia, reclama dos preços das diárias dos hotéis. Ele prefere não viajar e investir em bons negócios o dinheiro que gastaria nas férias.

1

SOL AREIA MAR
SAPERAPETE FLAT SERVICE
Sua casa na Bahia
O melhor negócio imobiliário do momento. Um ótimo investimento para seu dinheiro. Todo ano, duas semanas inesquecíveis num paraíso de conforto. E lucros o ano inteiro!
E mais:
* 70 apartamentos equipados com frigobar, TV a cabo, ar-condicionado e telefone.
* Todos os apartamentos com magnífica vista do terraço para o mar.
* Piscina aquecida coberta, bar, restaurante 24 horas, *american bar*, cinema, academia, equipe de lazer, internet.
* Toda Infraestrutura de um hotel 5 estrelas.
* Administração a cargo de Tour Hotéis Ltda.
Compre seu título hoje e garanta duas semanas de férias perfeitas para você. E lucros o ano inteiro.

2

Hotel Recanto das Hortênsias
NAS MONTANHAS, O HOTEL MAIS SIMPÁTICO DO SUL DE MINAS
(135) 3371 4929
Lago com pedalinho, piscinas, quadra poliesportiva, tênis, cavalos, charretes, salão de jogos, lareira, salão de convenções

3

TEMPORADA EM SANTOS
Mínimo 6 meses, mobil., 1 qto., sala, coz., WC. Tr.
EXATA IMÓVEIS

4

ALUGA-SE APTO.
Praia Astúrias. Acomodações P/6 pessoas. Tratar fone HC

5

PRAIA BOISSUCANGA
Lindos chalés frente ao mar, água cristalina, aluga-se para feriados ou férias. tr. SOL IMÓVEIS.

6

SÃO SEBASTIÃO
Hotel pousada – Beira da Prainha
Aptos. frente p/mar, piscina, bar, *deck*, restaurante, sala de jogos e TV, local bucólico.
Reservas: São Paulo 3883-1024 São Sebastião – (124) 52-1750

7

Aldeia de Sahy
Praia do Sahy
Locações para lazer
(11) 3280-1771 São Paulo
(124) 3263-1666 São Sebastião

32 **D2** Onde você está?

Examine a planta na página 26 e depois ouça a gravação. Onde Felipe vai encontrar Alcides? Aponte o local no mapa.

E1 Trânsito

Examine estas placas de trânsito. Relacione-as com as situações 1 a 10.

[4] Parada obrigatória

[ ] Sentido proibido

[ ] Proibido virar à esquerda

[ ] Proibido estacionar

[ ] Estacionamento regulamentado

[ ] Proibido parar ou estacionar

[ ] Velocidade máxima permitida

[ ] Sentido obrigatório

[ ] Siga em frente

[ ] Mão dupla

1. Não podemos entrar nesta rua. É contramão.
2. Que sorte! Podemos estacionar aqui. Há uma vaga ali atrás do carro azul.
3. À esquerda não! Olhe o guarda!
4. Paaaare!!!! BUUM!
5. Estacionar aqui? De jeito nenhum. Aqui nem podemos parar.
6. Esta rua é de duas mãos? Não, não é. É mão única.
7. Fique à direita. Esta rua é de duas mãos.
8. Não vire nem à esquerda nem à direita.
9. Excesso de velocidade, moço. Vou lhe dar uma multa.
10. Retire logo as bagagens porque não posso estacionar aqui.

E2 Amazonas — números

200 duzentos (duzentas)	800 oitocentos (-as)
300 trezentos (-as)	900 novecentos (-as)
400 quatrocentos (-as)	1.000 mil
500 quinhentos (-as)	2.000 dois/duas mil
600 seiscentos (-as)	1.000.000 um milhão
700 setecentos (-as)	1.000.000.000 um bilhão

LEMBRE-SE

duzentas vezes
quinhentas pessoas
um milhão de vezes
duas mil escolas
dois mil dólares
dois milhões de mulheres

Área: 1.570.745,7 km²
População (est. 2004) 3.148.420 habitantes
População urbana: 74,8%
Densidade demográfica: 2 habitantes/km²
Principais cidades: Manaus – 1.592.555 hab.
Itacoatiara – 78.425 hab.
Manacapuru – 81.518 hab.
Parintins – 105.002 hab.
Coari – 80.552 hab.

Lição 5

Moradia

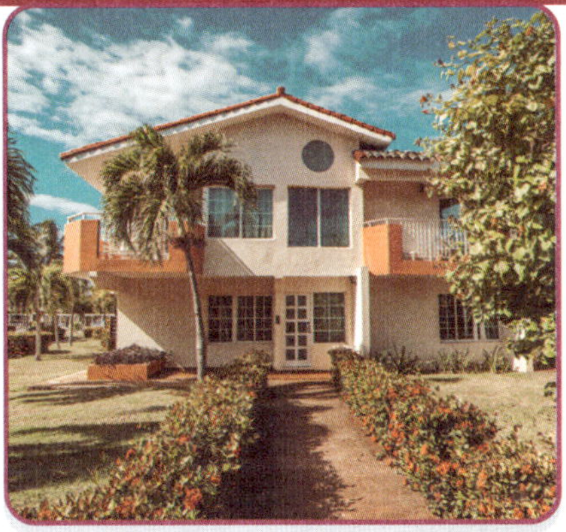

O que vamos aprender?

Descrever, identificar coisas; expressar contentamento, descontentamento; comparar; localizar.

Casa térrea
Rua Cabral, 520. *Living*, sala de jantar, 2 quartos, 1 suíte, armários embutidos, banheiros, cozinha, área de serviço, jardim e quintal.

- Esta é a chave do portão.
- A suíte é mais escura do que a sala. A sala é tão grande quanto o quarto.
- Não gostei nem um pouco desta casa!
- O abajur está em cima da mesa, ao lado da cama.

Relacione.

1 *living*	( ) cozinhar
2 sala de jantar	( ) receber amigos
3 cozinha	( ) mesa e cadeiras
4 banheiro	( ) tomar banho de chuveiro
5 dormitório	( ) flores
6 área de serviço	( ) lavar e passar roupa
7 jardim	( ) dormir
8 garagem	( ) bicicletas, carros

33 A1 Estou procurando uma casa para alugar

- Bom dia. Posso ajudá-la?
- Vi o *site* e gostei de algumas casas. Estou procurando uma para alugar neste bairro.
- De quantos quartos?
- Dois ou três e, se possível, com jardim ou quintal pequeno.
- Aqui não vai ser fácil. Tem outra região de preferência?
- Nos bairros vizinhos, de preferência zona oeste.
- Estas são as fichas dos imóveis para alugar.
São novas e não estão ainda no *site* da internet.

...

- Então, já encontrou alguma coisa?
- Encontrei uma casa que parece interessante.
- Quer visitar?

Compra – Vende – Aluga
Imobiliária Ipanema
CRECI 14442
www.imobiliariaipanema.com.br
Tel.: (35) 3721-1654

BROOKLIN VENDE-SE
TRATAR: 2241-5411

SOBRADO

CASA TÉRREA

APARTAMENTO

KITNET

1 R. Roque Petrella, 188 – Térreo: sala, cozinha, lavabo – andar superior: 2 dorms., banheiro. Quintal.

2 R. Cabral, 520 – *living*, sala de jantar, 2 quartos, 1 suíte, armários embutidos, banheiro, cozinha, área de serviço, jardim.

3 R. Tutoia, 1.350 – ap. 93 frente, 3 dorms., 2 banheiros, sala em L, terraço, cozinha, quarto + WC de empregada.

4 R. Voluntários da Pátria, 78, ap. 16 sala-quarto, arm. embutido, cozinha, banheiro.

1. Quais fichas podem interessar a estas pessoas?

estudante

casal com 3 filhos pequenos

família com 2 filhos adultos

duas amigas

casal sem filhos

casal de idade

2. Escolha uma das pessoas e imagine o diálogo na imobiliária.

34 A2 Esta sala é um pouco escura

- Esta é a chave do portão. E esta menor é a da porta da sala.
- É a única entrada?
- É sim, senhora. Mas a divisão interna é muito bem-feita.
- Esta sala é um pouco escura.
- Vamos visitar a cozinha. A senhora vai gostar.
- Não. Primeiro quero ver os outros cômodos e, por último, a cozinha.
- Esta é a suíte principal com banheiro e roupeiro.
- Mas ela é mais escura do que a sala. Não bate sol!
- Os quartos do outro lado são mais ensolarados.

...

- Esta casa é muito úmida. Não gostei nem um pouco. É muito diferente do anúncio.
- Mas a senhora ainda não viu o quintal...

1. Aqui estão anotações sobre os imóveis de A1. Qual destas corresponde ao imóvel de A2?

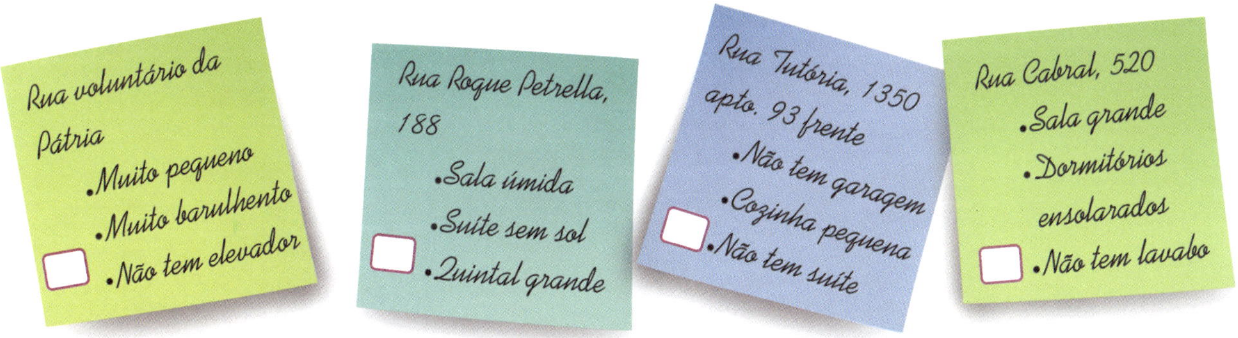

2. Com as outras anotações, fale com o corretor.

35 A3 Você já resolveu seu problema de apartamento?

- Você já resolveu seu problema de apartamento?
- Ainda não.
- Você não procurou naquele prédio perto do correio, na rua Fontana?
- Procurei sim e até visitei um no 2º andar, mas não deu certo.
- Por que não? Não é bom? Muitos vizinhos?
- O apartamento é bom. São dois por andar com armários embutidos e área de serviço.
- Então, qual é o problema? O aluguel?
- Não é só o aluguel. É a rua também.
- É, a rua Fontana é muito comercial.
- E o pior, o bar-restaurante no outro lado da rua!

1. Como pode ser?

O condomínio é caro.

A garagem é baixa.

a garagem	bonito/a	⟷	feio/a
o aluguel	novo/a	⟷	velho/a
o condomínio	baixo/a	⟷	alto/a
o vizinho	claro/a	⟷	escuro/a
o elevador	caro/a	⟷	barato/a
o prédio	ensolarado/a	⟷	úmido/a
a sala	barulhento/a	⟷	tranquilo/a

A4 Onde está?

1. Relacione 1-8 com a-h.

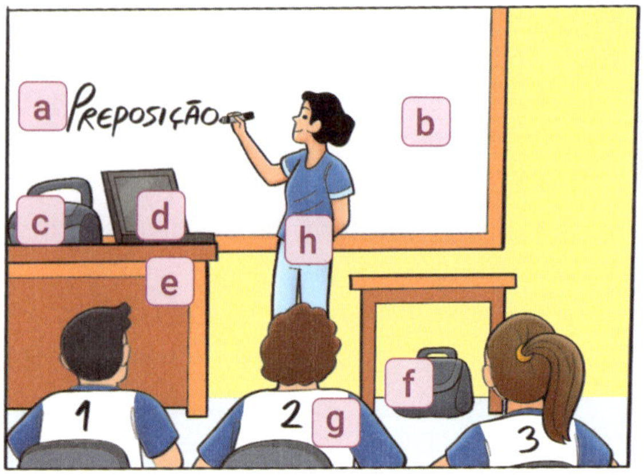

1. ☐ O notebook está em cima da mesa.
2. ☐ A lousa está atrás da professora, na parede.
3. ☐ A bolsa está embaixo da mesa menor.
4. ☐ A professora está ao lado da mesa, em frente da lousa.
5. ☐ A mesa está em frente dos alunos.
6. ☐ O gravador está em cima da mesa, perto do computador.
7. ☐ O aluno 2 está sentado entre os alunos 1 e 3.
8. ☐ A palavra *preposição* está na lousa.

2. Observe os desenhos abaixo. Onde está o quê?

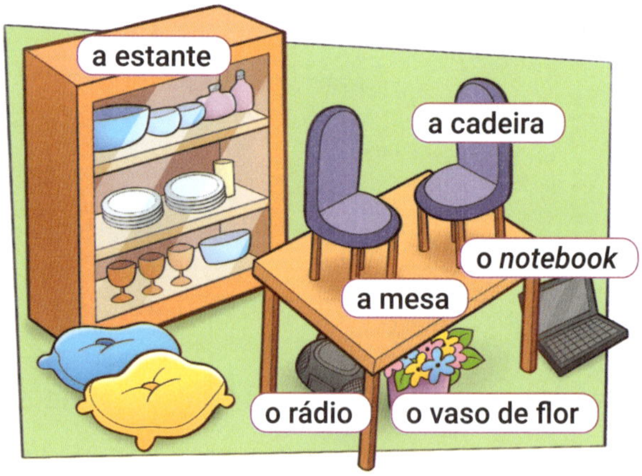

B1 Pretérito perfeito: verbos em *-ar*

1. Leia o diálogo, procure as formas do pretérito perfeito e complete o quadro ao lado.

- Você falou com Pedro?
- Falei. Almoçamos juntos ontem.
- Eles já se mudaram?
- Já. Ele comprou um apartamento pequeno, perto do escritório onde trabalha.
- Comprou? Que sorte! Eu também estou procurando um, mas não achei nada ainda.

		trabalhar
Eu	⟶	....
Você	⟶	*trabalhou*
Ele/Ela	⟶	....
Nós	⟶	....
Vocês	⟶	....
Eles/Elas	⟶	....

2. Fale com seu/sua colega.

Exemplos:

- *Você já encontrou uma casa para alugar?*
- *Não, ainda não encontrei./Já, já encontrei.*

O vendedor já	falar com	a nova vizinha?
Ele já	encontrar	seu salário?
Vocês já	arrumar	hotel na praia?
Nós	visitar	uma casa menor?
Elas já	mostrar	a casa com garagem?
Seu chefe já	aumentar	sua vizinha?
O zelador	fechar	o portão?
O proprietário	comprar	a área de serviço?

B2 Pretérito perfeito: verbos em *-er*

1. Leia o diálogo e complete o quadro com as formas do pretérito perfeito.

- Você não gostou do hotel onde ficou?
- Não. De jeito nenhum.
- Como assim?
- Mandei um *e-mail* antes, pedindo um quarto de frente para o mar, mas eles não receberam e me reservaram um quarto de fundo.
- Mas você comeu e bebeu bem. A cozinha do hotel é famosa.
- Pelo contrário. Comida péssima.
- Não diga!

		beber
Eu	→	....
Você	→	....
Ele/Ela	→	....
Nós	→	*bebemos*
Vocês	→	....
Eles/Elas	→	....

2. Pergunte e responda.

Você já vendeu seu apartamento?

Não, ainda não vendi./Já, já vendi.

Você Ele Ela Nós Vocês Eles Elas	(já)	beber comer escolher escrever perder responder vender	feijoada caipirinha a pergunta a casa o *e-mail* seu apartamento a chave

B3 Pretérito perfeito: verbos em *-ir*

1. Leia o texto e complete o quadro com as formas do pretérito perfeito.

Durante algum tempo eu dividi o aluguel do apartamento com três amigos para diminuir as despesas. Mas depois Carlos decidiu morar com uma amiga e os outros dois abriram um barzinho na praia.

		abrir
Eu	→	....
Você	→	....
Ele/Ela	→	....
Nós	→	
Vocês	→	....
Eles/Elas	→	....

2. Complete com *decidir/abrir/sair/desistir*.

Ontem decidi mudar minha vida, mas hoje já estou bem melhor.

a)
- Já .... o que vai fazer no domingo?
- Já. Vou ver a exposição de carros antigos no Anhembi.

b)
- Quem .... minha correspondência?
- Fui eu quem .... Desculpe!

c)
- Os seus pais .... do apartamento?
- Não, não .... Hoje decidem quando vão se mudar.

d)
- Vocês .... de ir jogar futebol?
- Nós .... Está muito quente hoje.

B4 Verbos em *-ar*, *-er*, *-ir*

Fale com seu/sua colega.

Exemplo:
- *Quantas horas você trabalhou ontem?*
- *Sete e meia. E você?*
- *Trabalhei nove.*

Com quem	ele	abrir	ontem?
Quantas horas	ela	beber	no último fim de semana?
Quantas cervejas	você	escrever	no mês passado?
Por que	...	funcionar	sábado?
A que horas	a loja	receber	...?
Onde	a escola	sair	
	...	trabalhar	

B5 Comparativo

O quarto é	mais	escuro	do que	a sala.
	menos	ensolarado	do que	
	tão	grande	quanto/como	

A sala é	pequena,	mas a cozinha é	menor	ainda.
O quarto é	grande,	mas a sala é	maior	ainda.
A casa é	boa,	mas o apartamento é	melhor	ainda.
A cozinha é	ruim,	mas a área de serviço é	pior	ainda.

Compare estes três veículos.

	 Carro de boi	 Ford Modelo T (Ford de bigode)	 Carro de Fórmula 1
Ano de fabricação	*1800*	*1920*	*2008*
Combustível			
Capacidade do tanque de combustível			
Velocidade máxima			
Potência			
Número de marchas			
Número de passageiros			
Peso			
Conforto			
Preço			

rápido | pequeno | lento | confortável | caro | grande | pesado | barato | moderno | econômico

C1 Como é sua casa?

1. Desenhe a planta de seu apartamento/sua casa e explique como é. Descreva a sala.

- sala, quarto, cozinha, jardim, quintal, varanda...
- estreito, confortável, pequeno...
- escuro, claro, ensolarado...
- ao lado de, entre, em frente de

2. Como é o apartamento/a casa de seus sonhos? Compare com o apartamento/a casa onde você mora agora.

C2 Decoração da casa nova

- Vamos colocar a mesa aqui?
- Não, acho melhor colocar a televisão.
- Você gosta da poltrona onde está?
- Não. Está muito perto da porta.
- É. Acho que ela fica melhor embaixo da janela.

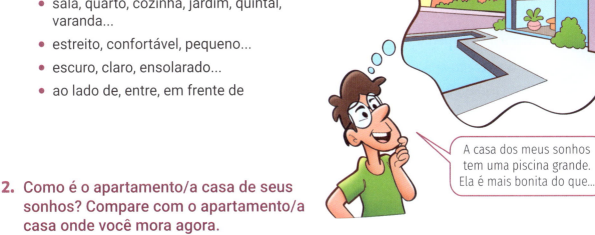

Você está arrumando a sala. Seu/Sua colega vai ajudar você.

tirar/colocar/ mudar/ficar	em cima de embaixo de	perto de longe de	ao lado de na frente de	atrás de entre

Onde vai ficar...? Vamos colocar... Você gosta do sofá...? ...	Não, acho que... fica... Eu acho melhor.../feio.../... mais prático... mais bonito...

36 D1 Gostaria de colocar um anúncio no jornal...

1. Ouça a gravação e escolha a alternativa correta.

a) A pessoa que ligou para o jornal
- ☐ está procurando um apartamento para alugar.
- ☐ tem um apartamento para alugar.
- ☐ quer vender um apartamento.

b) Como é o apartamento?
- ☐ 2 quartos, uma sala, cozinha e banheiro.
- ☐ 2 quartos, 2 salas, cozinha e banheiro.
- ☐ um quarto, uma sala grande, cozinha e banheiro.

c) O anúncio sai no jornal
- ☐ na 2ª feira.
- ☐ no dia 15.

> Ap. Centro. Alugo. Ótimo apto com 2 dorms., 1 sala, coz., banh., área de serv., mob., gar. Aluguel a combinar. Fone: 5262-5114

> Aluga-se apto Rua Camões, 2 dorms., sala, coz., banh., arm. emb., acarp., op. tel., gar. Aluguel a combinar. Tratar fone: 2262-5164

> Jd. Esplanada. Apto novo, 2 dorms., sala, coz., banh., área de serv., gar. Vende-se. Preço a combinar, tratar imob. Lia. Fone: 3262-5664

2. Qual é o anúncio do cliente?

D2 Moradias

1. O que você sabe sobre a situação habitacional no Brasil?

casa apartamento próprio/a alugado/a pequeno/a grande luxuoso/a simples ...

2. Observe as estatísticas. O que dizem sobre a população e seu conforto doméstico?

A EVOLUÇÃO DA URBANIZAÇÃO NO BRASIL

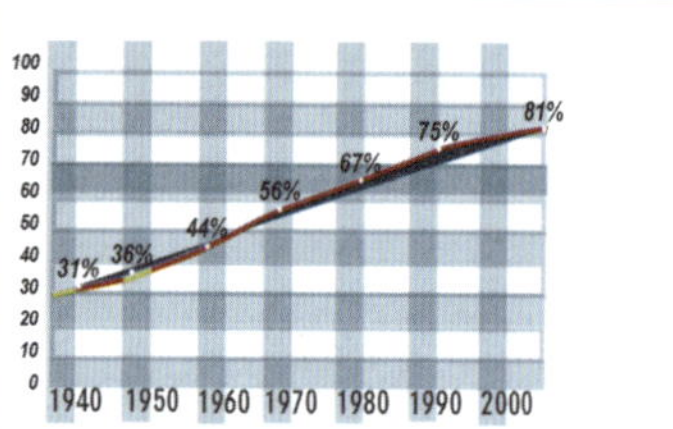

Fonte: *Estatística do Século XX, IBGE*

Gráfico de exclusão elétrica rural por região

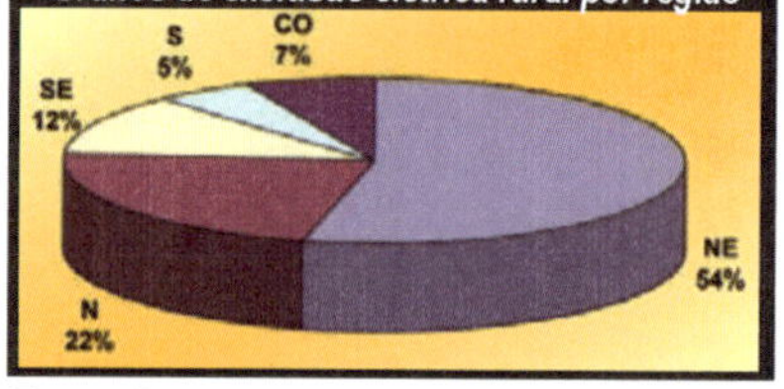

Fonte: *Programa Luz para todos http://www.mme.gov.br*

O CONFORTO NOS LARES BRASILEIROS

Proporção de domicílios atendidos	
Água encanada	83%
Esgotamento sanitário	69%
Energia elétrica	97%
Fogão	97%
Televisão	90%
Coleta de lixo	87%
Geladeira	87%
Telefone	62%
Lava-roupa	34%
Computador	14%
Acesso à internet	11%

Fonte: *Pnad 2003, IBGE*

3. Fale sobre as casas das fotos.

casa própria

casa própria

4. Leia o texto.

PROGRAMA APRENDENDO E CONSTRUINDO

QUALIFICAÇÃO DA MÃO DE OBRA PARA A CONSTRUÇÃO CIVIL

O Programa Aprendendo e Construindo – PAC – é uma alternativa nova para geração de trabalho e renda, por meio de cursos de capacitação profissional na área de construção civil, especialmente na área de construção de casas populares.

A baixa qualidade na produção da construção civil causa uma grande demanda por profissionais mais capacitados. Por outro lado, o déficit habitacional e o salário baixo das classes mais pobres exigem a produção de moradias com custo reduzido e o envolvimento efetivo da população beneficiada.

O objetivo geral do programa é preparar mão de obra para a construção civil por intermédio de cursos para pedreiros, carpinteiros, encanadores, pintores e monitores de construção civil.

O programa tem, como ponto de partida, o planejamento participativo feito pelos alunos e os futuros moradores da casa. Alunos e comunidade trabalham em conjunto durante todas as fases do projeto.

As aulas são planejadas de forma progressiva, seguindo um cronograma de construção de uma casa, do início até o final. Os alunos devem ter 16 anos ou mais. Alunos de 16 a 18 anos devem estar matriculados em cursos regulares. O programa desenvolve-se em dois horários: de manhã ou à tarde.

5. O que significa? Explique.

1. Curso de capacitação profissional na área de construção civil.
2. Baixa qualidade na produção da construção civil.
3. Produção de moradias com custo reduzido.
4. Preparar mão de obra para a construção civil.

6. Relacione.

1. pedreiro	____ tinta
2. carpinteiro	____ telhado
3. encanador	____ parede
4. pintor	____ coordenação
5. monitor de construção	____ água

7. O que significa: "qualificação da mão de obra"?

a) ☐ incluir os custos do trabalho no preço da construção.

b) ☐ construir com ajuda de computador.

c) ☐ escolher os trabalhadores.

d) ☐ melhorar a qualidade do trabalho profissional.

Mão de obra. S. f 1. Trabalho manual de operário, artífice etc.: "Na marcenaria francesa é inexcedível a perfeição da mão de obra nos móveis de luxo" (Ramalho Ortigão, Notas de Viagem, p. 192). 2. Despesa com esse trabalho. 3. Aqueles que o realizam: há muita falta de mão de obra especializada. Bras. Coisa difícil complicada |Sin., lus. (nesta acepç.): bico de obra. (Pl.: mãos de obra).

E Associação de palavras

Trabalhe com seu/sua colega. Escreva em dois minutos o maior número de palavras relacionadas à ideia de:

Família

Casa

Férias

Comida

Escola

Trabalho

Lição 6

O dia a dia

O que vamos aprender?

Relatar atividades no passado; falar sobre atividades do dia a dia.

Indique com os números.

- [1] O que é lazer?
- [2] O que é rotina do dia a dia?
- [ ] ir trabalhar
- [ ] ir à praia no fim de semana
- [ ] dar aula
- [ ] ter aula
- [ ] passear
- [ ] fazer compras
- [ ] levantar cedo
- [ ] ficar em casa e assistir TV
- [ ] arrumar a casa
- [ ] preparar o almoço
- [ ] fazer musculação na academia

de manhã

à tarde

à noite

três vezes por semana

de vez em quando

às vezes

às 6ªs feiras

durante a semana

- [ ] almoçar fora
- [ ] levar e buscar as crianças na escola
- [ ] tomar ônibus / pegar ônibus
- [ ] passar a tarde no planetário

- Você leva as crianças à escola?
- Claro! Eu as levo todo dia. E depois vou buscá-las.

- Fomos à piscina ontem porque as crianças não tiveram aula. Depois fizemos compras e estivemos na casa da Mônica. Foi bom.

- Você não quis ir ao cinema ontem?
- Quis, mas não pude.

37 38

A1 O dia a dia de duas brasileiras

Dona Cecília, 38 anos, professora e dona de casa, 4 filhos

Sou professora, e mãe de 4 filhos. Três vezes por semana, dou aulas numa escola particular. Como nossa casa é grande e dá muito trabalho, tenho uma empregada e uma faxineira. As crianças almoçam em casa. Durante a semana, à tarde, elas têm aulas de inglês, de teclado, de judô e de *ballet*. Eu as levo para lá e para cá o tempo todo. E depois vou buscá-las. É terrível, mas, o que posso fazer? À noite, geralmente, ficamos em casa; mas, de vez em quando, às 6as feiras, meu marido e eu saímos. Às vezes, quando o tempo está bom, vamos à praia no fim de semana. Temos uma casa lá.

Dona Conceição, 43 anos, empregada doméstica, 4 filhos adolescentes

Moro na periferia, longe do meu emprego. Levanto muito cedo, dou café para minha família e vou trabalhar. Tomo dois ônibus. Chego às 8 horas na casa da minha patroa. Limpo a casa, lavo e passo roupa, faço o almoço e arrumo a cozinha. Às 4 horas, vou para casa. Mais dois ônibus! Em casa, eu tenho muito serviço, mas o que posso fazer? Meus filhos, graças a Deus, já estão trabalhando: dois na fábrica, os outros, num supermercado. O Zeca vai à escola à noite. Ele diz que gosta de estudar.

39 40

Dona Cecília conversando com o marido:

- Puxa! Ainda estou cansada hoje!
- Verdade? Cansada de quê? Ontem você passeou o dia inteiro com as crianças.
- Por isso mesmo. Fomos à piscina de manhã, depois almoçamos. À tarde, eles quiseram ir ao cinema. Fomos. E fizemos compras. Depois ainda estivemos na casa da Mônica.
- Não diga. Tudo isso?
- Mas foi bom. Nossa! Como estou cansada!

Dona Conceição falando com uma amiga:

- A senhora não foi trabalhar ontem, Dona Conceição?
- Fui trabalhar sim, mas ontem foi um dia diferente. Dona Cecília saiu com as crianças logo de manhã, por isso, tive menos trabalho. Não fiz o almoço e fui para casa mais cedo. Foi muito bom! Finalmente, pude pôr minha casa em ordem.

A2 Rotinas

1. O que você sabe sobre Dona Cecília e Dona Conceição? Preencha o quadro e fale sobre o dia a dia delas.

	Dona Cecília	Dona Conceição
idade		
filhos		
profissão		
horário de trabalho		

	Dona Cecília	Dona Conceição
outras atividades		
atividades dos filhos		

A3 Um dia diferente

1. Como Dona Conceição diz no diálogo?

Saí de casa para trabalhar. *Fui trabalhar.*

Trabalhei menos. ....

Não preparei o almoço. ....

Foi possível arrumar minha casa. ....

2. Fale sobre o dia de ontem da Dona Cecília e da Dona Conceição.

A Dona Cecília e as crianças passearam
— foram
— estiveram

A Dona Conceição
— teve
— não fez
— foi
— pôde

B1 Pretérito perfeito — Verbos irregulares *ser* e *ir*

		ser + ir
Eu	⟶	fui
Você/Ele/Ela	⟶	foi
Nós	⟶	fomos
Vocês/Eles/Elas	⟶	foram

No pretérito perfeito, *ser* e *ir* têm a mesma forma.

1. *ser*

Exemplos: *eles/hoje/ricos — já/pobres*
Hoje eles são ricos. Já foram pobres.

a) eu/hoje/diretor — já/vendedor
b) você/hoje/calmo — já/muito nervoso
c) nós/hoje/amigos — já/casados
d) vocês/hoje/adultos — já/crianças

2. *ir*

Exemplos: *eu/hoje/cinema — ontem/também*
Hoje vou ao cinema; ontem fui também.

a) ela/hoje/cinema/comigo — ontem/com Carlos
b) nós/amanhã/praia — na semana passada/também
c) eles/sexta-feira/concerto — ontem/teatro
d) eu/nas férias/para Natal — nas últimas férias/para Maceió
e) ele/hoje à tarde/dentista — ontem à tarde/também

Elas foram à exposição.

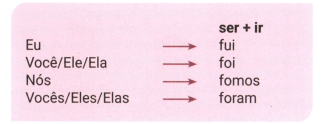

B2 Pretérito perfeito — Verbos irregulares *ter*, *estar*, *fazer*

		ter	estar	fazer
Eu	⟶	tive	estive	fiz
Você/Ele/Ela	⟶	teve	esteve	fez
Nós	⟶	tivemos	estivemos	fizemos
Vocês/Eles/Elas	⟶	tiveram	estiveram	fizeram

1. *ter, estar*

Gérson esteve na casa do Paulo. Teve muito trabalho.

a) Gérson/casa do Paulo/muito trabalho

....

b) Vocês/aula de Português/aula na universidade

....

c) Nós/praia/montanha

....

d) Eu/almoço com Iara/problemas com o carro

....

e) Você/minha festa/festa da Célia

....

2. *fazer*

Ele ainda não fez o exercício? Eu já fiz.

a) vocês/compras/nós ....

....

b) eles/teste/eu ....

....

c) vocês/jantar/eles ....

....

d) eles/a cama/vocês ....

....

e) ela/a tarefa/ele ....

....

3. Responda como no exemplo.

Marta, você não fez o teste?
Não fiz nem vou fazer.

a) • Sandra, você não teve reunião?

• ....

b) • Os alunos não tiveram aula?

• ....

c) • Mário e Samuel não estiveram com vocês?

• ....

d) • Vocês não fizeram as tarefas?

• ....

e) • Ele nunca foi presidente do grêmio?

• ....

B3 Pretérito perfeito dos verbos irregulares *querer* e *poder*

		querer	poder
Eu	→	quis	pude
Você/Ele/Ela	→	quis	pôde
Nós	→	quisemos	pudemos
Vocês/Eles/Elas	→	quiseram	puderam

1. Complete com *querer* ou *poder* no pretérito perfeito.

a) Eu .... ir à festa, mas, não ....

b) Pedro .... telefonar, mas, não ....

c) Sônia e eu .... ir ao *shopping center*, mas, não ....

d) Nós .... falar com vocês, mas, não ....

e) Eu .... escrever para você, mas, não ....

2. Fale com seu/sua colega.

Vocês Ele Ela Vocês	querer poder	ir à festa de... ir ao cinema ontem assistir ao show no domingo falar com... alugar uma casa nova

ter muito trabalho não ter tempo ter reunião ter aula ter outro compromisso

B4 Verbo irregular *dar*: presente e pretérito perfeito

1. *Dar* é conjugado como *estar* no presente. Complete as conjugações você mesmo.

		presente
Eu	→	....
Você /Ele/Ela	→	....
Nós	→	....
Vocês/Eles/Elas	→	....

		pretérito perfeito
Eu	→	dei
Você /Ele/Ela	→	deu
Nós	→	demos
Vocês/Eles/Elas	→	deram

2. Escreva e depois fale com seu/sua colega.

Você já deu o livro ao Paulo?

Já dei, sim

a) ele/dinheiro/Marina

....

....

b) vocês/carta/professor

....

....

c) professor/nota/vocês

....

....

LEMBRE-SE

O pretérito perfeito de *dar* é todo em e.

d) ela/aula/você?

....

....

e) eu/livro/você?

....

....

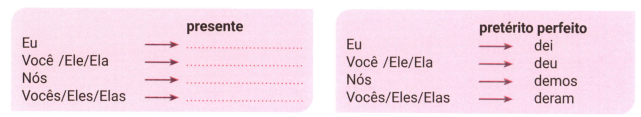

B5 Verbos irregulares no pretérito perfeito

Complete as perguntas e as respostas. Há várias possibilidades.

a) • Você não *foi/esteve*.............. lá?
• *Fui/Estive*.............., sim.

b) • Você não .... problemas?
• ...., sim.

c) • Ele não .... um presente?
• ...., sim.

d) • Ela não .... nada?
• ...., sim.

e) • Eles não .... barulho?
• ...., sim.

f) • Vocês não .... ir?
• ...., sim.

B6 Pronomes pessoais: *o, a, os, as/-lo, -la, -los, -las*

o, a, os, as = ele, ela, eles, elas

Eu conheço Chico.
▸ Eu o conheço.
Eu conheço Chico e Artur.
▸ Eu os conheço.

Eu conheço Ana.
▸ Eu a conheço.
Eu conheço as ruas de Salvador.
▸ Eu as conheço.

1. Complete.

a) Eu comprei o jornal e .... li.

b) Eu comprei a revista e .... li.

c) Eu recebi dez cartas, mas não .... respondi.

d) Eu telefonei para meus amigos e .... visitei.

e) Vítor comprou uma pizza e nós .... comemos.

o, a, os, as = você, vocês

José, eu conheço *você* há muito tempo.
José, eu .... conheço há muito tempo

Vera, eu levo *você* para casa.
Vera, eu .... levo para casa.

2. Complete.

a) Mariana, eu sempre .... ajudo, porque gosto de você.

b) Rosa e Lúcia, nós sempre .... ajudamos, porque gostamos de vocês.

c) Alberto, desculpe, eu não .... cumprimentei, porque não .... vi.

d) Eduardo e Cíntia, eu .... ajudo.

3. Substitua.

a) Roberto, quero ajudar você.
Roberto, eu ....

b) Anita, vamos buscar você às 10.
....

c) Meus amigos, Marina quer conhecer vocês.
....

d) Crianças, o ônibus vai levar vocês para casa.
....

-lo, -las, -los, -las

Onde estão as revistas? Quero lê-las.
Mônica vai preparar uma festa.
Quem vai ajudá-la?

O sofá é muito grande. Não podemos transportá-lo.
Meu amigo já chegou. Vou apresentá-lo a vocês.

4. Complete.

O jornal já chegou? Quero lê-lo agora.

a) (ler)	A carta?	Vou	*lê-la.*
b) (responder)	O e-mail?	Preciso	....
c) (comprar)	As flores?	Quero	....
d) (vender)	Os livros?	Vamos	....

5. Relacione.

a) Onde estão os livros?
b) Você leva as crianças à escola?
c) Você tem carro?
d) Você pode me dar seu jornal?
e) Comprou as xicrinhas de cafezinho?

( ) Eu as comprei ontem.
( ) Tenho. Posso levá-la para casa.
(*a*) Eu os dei para Sabrina.
( ) Claro, eu as levo todo dia.
( ) Claro, mais tarde você pode lê-lo.

6. Fale com seu/sua colega.

Exemplo: *Você escreveu a carta para Carlos?*
ontem — *Eu a escrevi ontem.*
amanhã — *Vou escrevê-la amanhã.*

a) semana passada	Vocês já alugaram o apartamento?
b) na próxima quinta-feira	Você vai me visitar logo?
c) daqui a uma hora	Quando você pode me levar para casa?
d) antes do almoço	Quando você vai comprar as flores?
e) segunda-feira passada	Ela já recebeu a resposta?
f) próximo fim de semana	Vocês já venderam o carro?
g) daqui a meia hora	Eles já fizeram o almoço?

C1 Seis brasileiros

Perguntamos a 6 brasileiros o que eles fizeram na semana passada. Eis as respostas.

1. A que textos correspondem as fotos?

1) Estudante – Brasília: "Na semana passada, pela manhã fui à faculdade. Tive uma prova difícil, mas não saí da rotina. 2ª e 5ª, à tarde, dei aula de matemática para dois alunos do ensino médio. À noite, fui para minha aula de inglês. Na 4ª feira, fiz ginástica na academia perto de casa. No sábado, estive num barzinho da moda com minha namorada. É só".

2) Vendedor – Natal: "Sou vendedor ambulante, na semana passada ou hoje é sempre a mesma coisa. Saí de casa às 6 horas da manhã com minha mercadoria. Fui para a praia e fiquei por lá o dia inteiro. Vendi muito pouco e já gastei a metade pagando as contas atrasadas. O que sobrou não vai dar para passar a semana".

3) Empresário – São Bernardo: "Sou uma pessoa muito metódica. Na semana passada, como sempre, me levantei às 6h30, fiz 40 minutos de caminhada, em seguida, tomei banho e li todos os jornais, como de costume. Cheguei ao escritório às 9 em ponto. Eu me reuni com meus assessores, recebi alguns clientes. Na 2ª, almocei com o diretor financeiro de um banco e, na 5ª, jantei fora com colegas do setor para tratar de negócios. No fim de semana fui com a família para a fazenda".

4) Guia turístico – Manaus: "Na semana passada, esteve aqui um grupo de jovens interessados em ecologia. Em geral, os turistas brasileiros querem fazer compras na zona franca. É mais barato. Mas esses rapazes quiseram subir o rio Negro, de barco, para conhecer a selva. Dormimos duas noites no barco e fizemos uma caminhada na mata. Não gostaram nem um pouco do clima e reclamaram dos mosquitos, mas acho que a experiência foi positiva".

5) Atriz – Rio de Janeiro: "Minha semana foi uma loucura! No fim de semana estive em Salvador, participando de um show. Na 2ª feira, acordei ao meio-dia e fui para o estúdio gravar a novela das 8. Na 3ª de manhã, gravei um comercial para a TV. Na 4ª feira, fomos com a equipe para Búzios e rodamos algumas cenas externas. Na 5ª, estive em São Paulo e não pude ir ao show do Caetano. Na 6ª feira, ficamos no estúdio trabalhando. E no fim de semana voltei a São Paulo para preparar nossa nova peça".

6) Trabalhador – Porto Alegre: "Meu dia a dia é muito cansativo. A semana passada não foi diferente. Peguei o ônibus às 6 horas e às 7 horas comecei a jornada na fábrica. Tivemos muito serviço, um colega não foi trabalhar porque está doente. Na 6ª feira, depois do trabalho, joguei sinuca com o pessoal e quase perdi o ônibus. No sábado, fiz supermercado e, no domingo, fomos à casa da minha sogra. Aproveitei para assistir ao jogo Inter x Grêmio na televisão".

Jacaré – Pantanal Matogrossense:

Minha semana foi ótima.
Segunda-feira comi peixe,
terça-feira comi peixe,
quarta-feira comi peixe,...

2. Quem fez o quê?

Na 2ª e na 5ª,...
Às 9 em ponto,...
Na 4ª feira,...
Às 6 horas da manhã,...
Duas noites,...
No sábado,...

C2 Entrevistas

1. O que você fez 6ª feira à noite?
2. O que você fez no fim de semana?
3. Você esteve em algum lugar diferente?
4. Você saiu com seus amigos?
5. A que horas você se levantou no domingo?
6. Foi ao cinema a semana passada?
7. Você assistiu à televisão ontem? Gostou de algum programa?
8. Você leu os jornais de ontem?
9. Você trabalhou muito na semana passada?

C3 Calendário brasileiro

Janeiro	Fevereiro	Março	Abril

Passagem do ano Férias escolares	Carnaval	"Águas de março" *Outono	21 de abril Tiradentes
Maio	**Junho**	**Julho**	**Agosto**

1º de maio Dia do Trabalho	Festa Junina *Inverno	Férias escolares	Voo de Santos Dumont no 14 BIS
Setembro	**Outubro**	**Novembro**	**Dezembro**

7 de setembro Dia da Independência *Primavera	12 de outubro Dia da Padroeira	15 de novembro Proclamação da República	Natal Passagem do ano *Verão

1. Observe o calendário.

Quando começam as estações no Brasil?
Quais são os feriados nacionais?
Quais são os feriados religiosos?
Quais as outras festas brasileiras?
Quando são as férias escolares?

2. Entreviste seu/sua colega. Em seu país:

Quando começam as estações?
Quais são os feriados nacionais e religiosos?
Quais são as festas principais?
Quando são as férias escolares?
Que feriados vocês já tiveram este ano e que feriados ainda vão ter?

No dia 15 de novembro,...

Em setembro,...

Na primavera,...

No mês de setembro,...

Do dia... até o dia...

41 **D1** Sinal fechado

Ouça a música "Sinal fechado" de Paulinho da Viola. A letra da música é um diálogo entre duas pessoas.

1. Ouça a música e examine as fotos. Em que situação as duas pessoas se encontram?

1. ....

2. ....

2. Ao lado você tem a primeira parte da letra de "Sinal fechado". Ouça a música novamente e complete a letra com os elementos abaixo.

Eu vou indo e você, tudo bem?
Tudo bem
Quanto tempo...
Quando é que você telefona?

Sinal fechado

Olá, como vai?

....

Tudo bem, eu vou indo correndo

Pegar meu lugar no futuro, e você?

..............................., eu vou indo em busca

De um sono tranquilo, quem sabe?

Quanto tempo... pois é...

....

Me perdoe a pressa

É a alma dos nossos negócios

Pô, não tem de quê

Eu também só ando a cem

....

Precisamos nos ver por aí

Pra semana, prometo talvez nos vejamos
Quem sabe?

Quanto tempo... pois é...

Quanto tempo...

D2 Poesia e arte brasileiras

Cecília Meireles

Nasceu no Rio de Janeiro, no dia 7 de novembro de 1901. Órfã de pai e mãe aos 3 anos, foi criada pela avó. Formou-se professora primária em 1917. Em 1919, publicou seu primeiro livro de poesias, Espectros. Em 1930, iniciou atividades jornalísticas. Fundou várias bibliotecas infantis; a primeira em 1934. Foi professora universitária de literatura em universidades brasileiras e estrangeiras. Deixou vasta obra em prosa e poesia. Faleceu no Rio de Janeiro, no dia 9 de novembro de 1964. Recebeu, post-mortem, o prêmio “Machado de Assis”, da Academia Brasileira de Letras, pelo conjunto de sua obra.

Carlos Drummond de Andrade

Nasceu em 31 de outubro de 1902, na pequena cidade de Itabira, em Minas Gerais, filho de pai fazendeiro. Em 1920, mudou-se para Belo Horizonte, a capital do estado, onde começou sua carreira jornalística e poética. Em 1923, formou-se farmacêutico, mas nunca exerceu a profissão. Foi professor de escola e funcionário público. Em 1930, publicou seu primeiro livro de poemas, Alguma Poesia. Em 1934, mudou-se para o Rio de Janeiro. Nos anos seguintes, trabalhou como funcionário público em postos de destaque. Recebeu vários prêmios importantes. Escrevendo crônicas para vários jornais, tornou-se conhecido pelo grande público. Morreu no Rio de Janeiro, em agosto de 1987, amado e respeitado por todos.

Cândido Portinari

Nasceu em 1903 numa fazenda de café, em Brodowski, interior do estado de São Paulo, de pais imigrantes do Vêneto. Cresceu entre trabalhadores do campo, no Brasil rural. Desde pequeno, mostrou gosto pela pintura. Aos 10 anos, recebeu seu primeiro pagamento, ajudando um pintor a decorar a igreja local. Em 1917, mudou-se para o Rio de Janeiro, onde estudou desenho no Liceu de Artes e Ofícios e na Escola Nacional de Belas Artes. Trabalhando ativamente, em poucos anos ficou conhecido no país. Em 1928, ganhou o prêmio de Viagem ao Estrangeiro pelo Salão Nacional de Belas Artes. Viveu na Europa de 1929 a 1931. De volta ao Brasil, sua arte sofreu grande evolução, tornando-se essencialmente brasileira. Seus temas principais foram a terra e o povo de seu país. Morreu no Rio de Janeiro, no dia 6 de fevereiro de 1962.

Relacione.

1

2

3

- ( ) atividades profissionais no Rio de Janeiro
- ( ) morto aos 84 anos
- ( ) infância em fazenda
- ( ) filho de imigrantes italianos
- ( ) jornalista
- ( ) morto aos 59 anos
- ( ) trabalho com crianças
- ( ) mineiro
- ( ) carioca
- ( ) poeta
- ( ) paulista
- ( ) pintor

Cândido Portinari, Menino morto (óleo sobre tela: 1944, 1,79 x 1,90m)

E Poemas surrealistas

1. Com seu colega, forme o maior número de palavras com as letras das palavras abaixo.

BRASILEIRO SECRETÁRIA MUSICAL NAMORADO

Exemplo:

EMPRESÁRIO

SUBSTANTIVOS	VERBOS	OUTROS
MÊS	rir	sem
mesa	sair	me
rio	saio	pro
mar	sai	por
pai	pare	
empresa	paro	
presa	sei	

2. Faça pequenos poemas ou frases com as palavras dadas acima.

Exemplo de pequenos poemas surrealistas, com as letras da palavra EMPRESÁRIO:

O RIO
E
O MAR

SEM PRESSA
O RIO SAI
PARA O MAR

PARO SEM SAIR
PARO SEM RIR
RIR SEM SAIR

MESA
SEM ME
É MESA

Revisão

R1 Ponto de ônibus

1. Escolha uma das pessoas na foto e imagine a sua vida.

— idade/profissão/salário/apartamento/casa/vida familiar/dia a dia

— O que ela/ele faz nos fins de semana?
— O que ela/ele vai fazer agora?
— O que ela/ele fez antes?
— O que mais você pode falar sobre ela/ele?

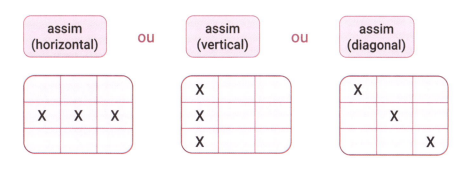

2. Duas pessoas encontram-se num barzinho e começam a conversar. Escreva um pequeno diálogo.

R2 Jogo da velha

Instruções

Duas pessoas jogam. O objetivo é marcar 3 casas em linha reta ou em diagonal, como mostram os desenhos. O primeiro jogador recebe a tarefa nº 1 da página 56. Caso acerte a resposta, marca uma casa e continua jogando, recebendo agora a tarefa nº 2. Caso erre, dá a vez ao adversário. Quem primeiro marcar 3 casas em linha reta, vence o jogo.

assim (horizontal) ou assim (vertical) ou assim (diagonal)

X	X	X

X		
X		
X		

X		
	X	
		X

		X
	X	
X		

Quem é você?
(nome, nacionalidade, profissão, endereço)

Eu me chamo...

1

Conte até 30 assim:

2 – 4 – 6...

2

Um aperitivo brasileiro?

3

Complete o diálogo:

- ....?
- Não. Não posso
- Que pena!

4

Complete:

Agenda
8 h – 10 h – aeroporto (Marcos)
10 h – 12 h – reunião
14 h – 17 h – reunião

- Por que você não pode ir à praia comigo amanhã?
- ....?

5

O que você precisa para:

6

a) tomar sopa;
b) comer bife com batatas;
c) tomar cerveja; e
d) tomar cafezinho?

7

8

Leia:

37 42 85 54 98 69 15 26 71

9

Soletre seu nome.

A B C D E F G H I J
K L M N O P Q R S
T U V W X Y Z

1

aperitivo-entrada-prato principal-sobremesa-bebida

2

Você está organizando uma festa para sua amiga Ana.
Convide seu colega Roberto.
Deixe recado na secretária eletrônica.

3

Você entra no restaurante e quer uma mesa. Fale com o garçom.

4

Quais são os dias da semana?

5

Conte até 1 assim:

19 – 17 –...

6

Você quer visitar o Planetário.
Pergunte sobre horário, localização e transporte.

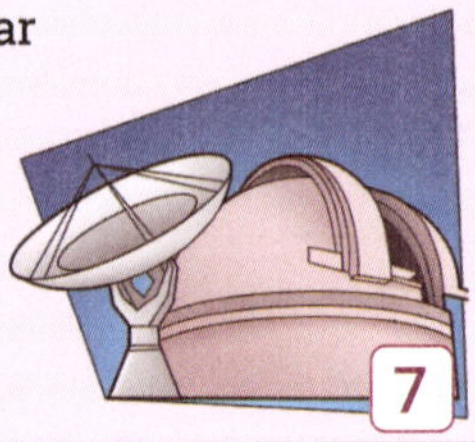

7

Chegando ao hotel com sua família, pergunte se há apartamento. Você quer informações sobre preço, horário do café da manhã, estacionamento.

8

O que você fez hoje antes de começar sua aula? (5 atividades)

9

Seu amigo quer conhecer a cidade. Faça 3 sugestões.

1

No hotel, às 9 horas da manhã. Você não gostou do quarto. Explique o problema ao gerente.

2

O que você fez ontem? (3 atividades)

3

A partir do ponto indicado, explique o caminho para o correio.

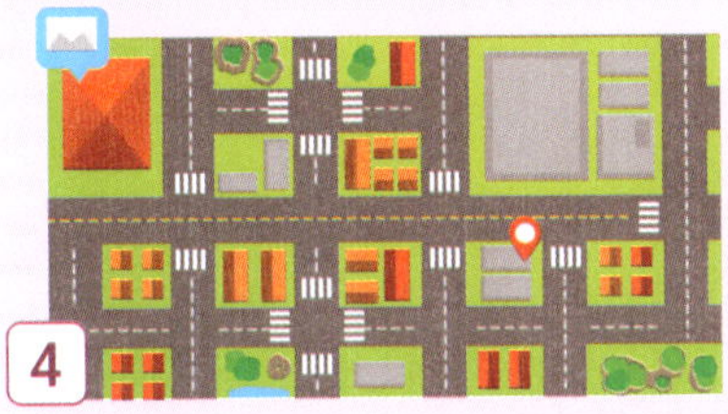

4

O que diz o aviso.

Zoológico
Ter. a Dom. 9 h – 17 h. 15 e 29 /
Praça do Correio
Adultos: R$ 20,00
Crianças (até 12): R$ 10,00
Favor não dar comida aos animais

5

O que está faltando?

6

Descreva seu apartamento/ sua casa

7

Leia o anúncio

AV. BRIG. LUIZ ANTÔNIO
Living, dorm., banh., coz., área de serv., gar., e tel., 83,55 m c/ inquilino
70.000 À VISTA

8

Você precisa alugar um apartamento ou uma casa. Explique o que você quer: localização, número de quartos, preço, distância do escritório, comércio etc.

9

1

Convide seus amigos para um fim de semana nas montanhas. Eles não estão muito animados. Insista.

Organize um cardápio para um jantar. O dia está muito frio. Você vai receber alguns amigos.

aperitivo entrada sobremesa

2

Você está no restaurante. Você recebeu a conta, mas não concorda com ela. Reclame.

3

Seu amigo quer ir ao cinema, mas você prefere ir a um *show* de música popular. Argumente.

4

5

Reserve, por telefone, bilhetes para uma peça de teatro.

6

Você é aluno. Dê 3 frases que normalmente os alunos usam durante a aula.

1. ....
2. ....
3. ....

Em que meses se comemoram:

- as festas juninas
- a Independência
- o carnaval

7

Quem foi Cândido Portinari?

8

Forme 3 palavras com as letras da palavra abaixo.

9

A. ....
M. ....
A. ....
R. ....
E. ....
L. ....
O. ....

R3 Diálogos

1. Relacione as frases às ilustrações. Coloque o número da frase que corresponde à ilustração.

1. Quem fez o almoço?

2. Este lugar está livre?

3. Você já leu o e-mail?

4. Quem é aquele homem ali?

5. Um pouco mais de paciência. O Dr. Antunes já vai chegar.

6. Hoje está mais quente do que ontem?

7. Desculpe, mas não gostei da casa. É muito pequena.

8. Não acredito! Quero saber quem comeu meu chocolate.

9. É proibido fumar aqui?

10. Vamos à praia?

2. Escolha algumas das frases acima e escreva diálogos com elas.

Exemplo:

1. Quem fez o almoço?

Fui eu, desculpe.

Novo Avenida Brasil 1

Curso Básico de Português para Estrangeiros

Exercícios

1 Lição

A1/2 1. Seu nome

Complete os diálogos.

a)

Bom dia!
....
seu nome?

....
Tuta.

b)

.... tarde!
..............................?

..............................?

....
Miguel Reich-Ranitzki.

R-E-I-C-H hífen R-A-N-I-T-Z-K-I.

A3/4 2. Nacionalidade, profissão, residência

1. Ele ou ela? Complete com as nacionalidades.

a) O senhor é ....?

b) Ele é ....?

c) A senhora é ....?

d) Ela é ....?

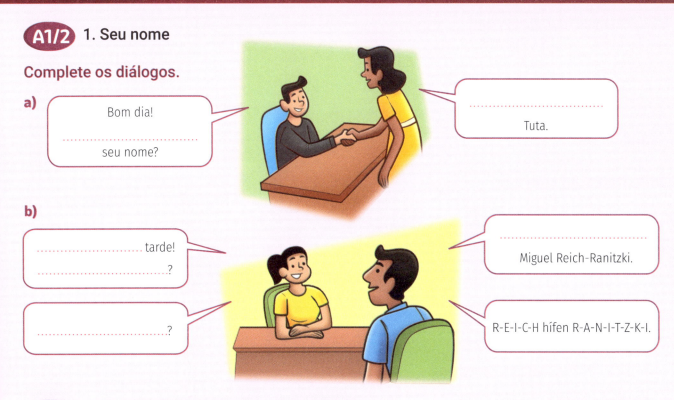

Atividades

2. Complete o diálogo com as palavras.

onde · não · ~~onde~~ · moro em · portuguesa · médica

- *Onde* você mora?
- .... Lisboa.
- Você é ....?
- ...., não sou. Sou brasileira.
- .... você trabalha?
- Trabalho no hospital. Sou ....

3. Responda.

Exemplo: *O sr. é americano?*
– *Não, não sou.*
+ *Sou sim.*

a) Ele é brasileiro?
– ....
+ ....

b) A senhora é alemã?
– ....
+ ....

c) O senhor é holandês?
– ....
+ ....

4. Qual é a pergunta?

a) • ....?
• Sim, sou brasileiro.

b) • ....?
• Não, ele é americano.

c) • ....?
• Meu nome é Fernando.

d) • ....?
• Não, a jornalista é portuguesa.

e) • ....?
• Ela se chama Vera.

5. Responda às perguntas.

você Como você se chama? Você é brasileiro(a)? De onde você é? Onde você trabalha? Onde você mora?

B1 3. Verbo irregular *ser*

1. Complete.

Nós .... brasileiros.

Meu nome .... Helmut Raffel. Eu .... da Alemanha. Pat .... americana. Nós moramos no Brasil. Mário e Júlia .... brasileiros.

Ele .... alemão. .... americana. .... brasileiros.

Atividades

2. Responda.

- O Helmut é brasileiro?
- ....
- E Pat?
- ....
- Mário e Júlia são brasileiros?
- ....

3. Responda.

- Ela é brasileira?
- *Não, ela não é brasileira, ela é japonesa.*

- Ele é professor?
- ....

- Eles são secretários?
- ....

- Você é médico(a)?
- ....

B2 **4. Verbos regulares em *-ar***

Que língua eles falam?

a) Eu sou brasileiro. *Eu falo português.*

b) Ele é americano. Ele ....

c) Ela é alemã. Ela ....

d) Eles são franceses.
Eles ....

e) Nós somos ingleses.
Nós ....

você ....

B2/3 **5. *Trabalhar, morar* + *em, no, na***

1. Complete com *trabalhar*.

a) Sou médico. Eu .... Hospital Geral

b) Ele é professor. Ele .... Instituto de Línguas "Todos Nós".

c) Nós somos cozinheiros. Nós .... Restaurante Tropeiro.

d) Ela é jornalista. Ela .... "Folha de São Paulo".

2. Complete com *morar*.

a) Luigi é italiano. Ele .... Milão, ... Itália.

b) Nadine e Chantal são francesas. Elas .... Besançon, ... França.

c) Eu sou brasileiro. Eu .... Olinda, ... Brasil.

d) Somos americanos. Nós .... Buffalo, ... Estados Unidos.

você ....

Atividades

C1 6. Identidades

1. Leia os dados e identifique as pessoas nas fotos.

1 Nome: Antônio Viganó
Estado civil: casado
Nacionalidade: italiana
Residência: Milão
Profissão: mecânico
Local de trabalho: Fiat

2 Nome: Adelita Martinez
Estado civil: solteira
Nacionalidade: argentina
Residência: Mendoza
Profissão: estudante

3 Nome: Maurício de Assis
Estado civil: casado
Nacionalidade: brasileira
Profissão: advogado e professor universitário

4 Nome: Irene Meyer
Estado civil: casada
Nacionalidade: alemã
Residência: Mannheim
Profissão: médica
Local de trabalho: Hospital Municipal

2. Escolha duas pessoas nas fotos e escreva o que sabe sobre elas.

Antônio Viganó é casado. Ele... ....

....

D1 7. Dados pessoais

1. Preencha a ficha com seus dados pessoais.

FICHA NACIONAL DE REGISTRO DE HÓSPEDES - FNRH Nº__________

Marca do Governo do Estado | Marca do Meio de Hospedagem | Ministério do Turismo | GOVERNO FEDERAL BRASIL PAÍS RICO É PAÍS SEM POBREZA

RAZÃO SOCIAL: CNPJ:
NOME FANTASIA: CADASTUR:
REDE: TIPO: CAT:
ENDEREÇO: CEP: TELEFONE:
ESTADO: MUNICÍPIO: EMAIL:

NOME COMPLETO - FULL NAME | E-MAIL | TELEFONE - PHONE | CELULAR - CELL PHONE

PROFISSÃO - OCCUPATION | NACIONALIDADE - CITIZENSHIP | DATA NASC - BIRTH DATE ☐☐/☐☐/☐☐ | GÊNERO - GENDER ☐M ☐F

DOCUMENTO DE IDENTIDADE - TRAVEL DOCUMENT: Número Number | Tipo Type | Órgão Expedidor Issuing Country | CPF (BRAZILIAN DOCUMENT)

RESIDÊNCIA PERMANENTE - PERMANENT ADDRESS | CIDADE - CITY | ESTADO - STATE | PAÍS - COUNTRY

ÚLTIMA PROCEDÊNCIA - ARRIVING FROM: País Country | Estado State | Cidade City
PRÓXIMO DESTINO - NEXT DESTINATION: País Country | Estado State | Cidade City

MOTIVO DA VIAGEM - PURPOSE OF TRIP: ☐ Lazer - Férias Leisure - Vacation ☐ Negócios Business ☐ Congresso - Feira Convention - Fair ☐ Parentes - Amigos Relatives - Friends ☐ Estudos - Cursos Studies - Courses ☐ Religião Religion ☐ Saúde Health ☐ Compras Shopping ☐ Outro Other

MEIO DE TRANSPORTE - ARRIVING BY: ☐ Avião Plane ☐ Automóvel Car ☐ Ônibus Bus ☐ Moto Motorcycle ☐ Navio - Barco Ship - Ferry Boat ☐ Trem Train ☐ Outro Other

OBSERVAÇÕES - NOTES | NÚMERO DE HÓSPEDES NUMBER OF GUESTS ☐☐ | UH Nº ☐☐☐☐

ENTRADA Dia - Mês - Ano ☐☐/☐☐/☐☐ Hora ☐☐:☐☐ | SAÍDA Dia - Mês - Ano ☐☐/☐☐/☐☐ Hora ☐☐:☐☐

ASSINATURA DO HÓSPEDE - GUEST'S SIGNATURE: ______________________

2. Leia o texto e preencha a ficha.

John Robert Murray, correspondente do New York Times, trabalha no Palácio da Alvorada, em Brasília. Ele nasceu em Nova York, em 21 de setembro de 1960. Fez o curso de Comunicações na Universidade da Califórnia, em Berkeley. De 1985 até 1993, trabalhou no Washington Post. Depois, passou a trabalhar no New York Times. Ele mora no Brasil há 5 anos. Ele fala bem português, mas escreve suas notícias em inglês.

É casado e tem dois filhos. Ele joga tênis, faz caminhadas regularmente e gosta de música popular americana e brasileira.

Nome: ....

Idade: .... **Data de nascimento:** ....

Nacionalidade: ....

Estado civil: .... **Profissão:** ....

Local de trabalho: ....

Residência permanente (cidade): ....

Línguas que fala: ....

***Hobby*:** ....

D2 8. Jornal da Tarde

42 1. Ouça o diálogo.

O Sr. Clark	C	E
a) é inglês.	☐	☐
b) mora na Inglaterra.	☐	☐
c) trabalha na Universidade.	☐	☐
d) trabalha com turistas.	☐	☐

Hoje estamos falando com o Sr. Clark...

2. Preencha o cartão de identificação do Sr. Clark.

Nome: ....
(sobrenome) (nome)

Nacionalidade: ....

Residência atual: ....

Trabalho anterior: ....

Trabalho atual: ....

Trabalho no Brasil: ....

Atividades

E 9. Números

42 **1. Ouça a gravação e escreva os números em algarismos.**

2. Some e escreva por extenso.

MERCADO INTERNACIONAL

Países	Moedas
Estados Unidos	dólar americano
Austrália	dólar australiano
Canadá	dólar canadense
Comunidade Europeia	euro
Suíça	franco suíço
Japão	iene japonês
Grã-Bretanha	libra esterlina
Argentina	peso argentino
Chile	peso chileno
Rússia	rublo russo
China	yuan

Trinta e sete reais

2 Lição

A1/2 1. Sua agenda

1. Hoje é segunda-feira. Complete os dias da semana e suas atividades.

Janeiro	dia	manhã	tarde	noite
S*egunda*	24	*trabalho*		*concerto: Villa-Lobos*
T	25		*médico*	
Q	26			
Q	27			
S	28			
S	29	*almoço Gregório*		*cinema*
D	30			

2. Escreva frases completas.

Hoje de manhã, eu trabalho. Amanhã de tarde, vou ao médico.
Quarta-feira,...

A3 2. Que horas são?

1. Escreva por extenso.

a) 16:30 *São dezesseis e trinta. / São quatro e meia.*

b) 10:30 ....

c) 9:45 ....

d) 1:00 ....

e) 3:40 ....

f) 21:15 ....

g) 11:50 ....

h) 24:00 ....

A4 3. A que horas?

Escreva as perguntas.

- *A que horas vamos almoçar?*
- Vamos almoçar ao meio-dia.
- ....
- O filme é às 8 horas em ponto.
- ....
- O jantar é às 7 horas.
- ....
- Vou ao médico às 4 e meia.
- ....
- Ele vai ao escritório às 5 horas em ponto.

Atividades

A5 4. Você pode...?

1. Escreva as respostas.

a) Você pode ir ao banco às 3 horas?
⟶ tarde – reunião
Não posso, tenho uma reunião à tarde.

b) Você pode telefonar para Luísa às 2 horas?
⟶ 2 horas – aula de ginástica
....

c) Você pode ir ao dentista de manhã?
⟶ manhã – supermercado
....

d) Você pode ir ao cinema amanhã de noite?
⟶ noite – teatro
....

A1/5 5. Alice

Leia o texto e responda às perguntas.

Alice é secretária na "Volvo" em Curitiba. Ela é uma pessoa muito ativa. Ela trabalha 20 horas por semana na "Volvo" e à noite estuda Psicologia na universidade.
Quarta-feira é um dia típico. Ela trabalha no escritório até meio-dia. À uma hora ela almoça e às 3 horas vai à aula de inglês. De noite ela estuda na biblioteca da universidade.

a) Onde mora Alice?
....

b) Onde ela trabalha?
....

c) Qual é a profissão de Alice?
....

d) Quando ela trabalha no escritório?
....

e) A que horas ela almoça?
....

f) Alice pode ir ao clube quarta-feira de manhã?
....

g) Ela pode tomar café com Pedro, às duas horas?
....

h) Alice pode ir ao cinema de noite?
....

B1 6. Pronomes demonstrativos e possessivos

1. Complete e escreva no plural.

a) Este é o *meu / nosso* filho. — *Estes são os meus / nossos filhos.*

b) Esta é a .... amiga. — ....

c) .... é o .... irmão. — ....

d) .... é a .... professora. — ....

e) .... diretor. — ....

f) .... filha. — ....

Atividades

B2/3 7. Verbo irregular *ir* e futuro imediato.

1. Complete com *ir*.

Vamos ou não?
- Por que nós não ....?
- Você ...., mas eu não ....
- Por que não?
- Porque elas ....!

2. Observe os desenhos e escreva a frase correspondente.

8:00

20:00

12:00

10:00

às 8 horas ....
....
....
....
....
....
....
....
....
....
....
....

B4 8. Verbo irregular *poder*

Complete com *poder*.

Podemos ir?
- .... ir? Já estamos atrasados.
- Você ...., mas eu não vou.
- Por que nós não .... ir jantar?
- Porque elas .... estar lá.

B2/4 9. *Ir* ou *poder*

Complete.

a)
- Você .... ir ao cinema hoje?
- Não, não .... Vou estudar.

b)
- Eles .... ir ao teatro hoje?
- Não, ... Eles .... trabalhar.

c)
- Vocês .... ir à biblioteca ao meio-dia?
- Não, ... almoçar.

d)
- Ela .... falar com o diretor hoje à tarde?
- Não, ela só .... falar com ele amanhã.

e)
- Ele .... viajar amanhã de manhã?
- Não, ele não .... Ele .... à reunião.

Atividades

B2/4 10. Verbos irregulares *ir* e *ter*

Complete

a) Às 8 horas, eles .... reunião.

b) Às 9 horas, ele .... ao dentista.

c) Às 5 horas, ela .... aula de ginástica.

d) Às 3 horas, elas .... ao banco.

e) Ao meio-dia, nós não .... tempo para almoçar.

f) Amanhã, de manhã nós .... viajar.

g) Amanhã, de tarde vocês .... ao dentista.

h) Hoje de tarde, eles .... muito trabalho.

B2/4 11. Agenda da Sônia

1. Leia as respostas de Sônia. Faça as perguntas.

- *Você está livre na terça-feira de manhã?*
- Não, terça-feira de manhã eu não estou livre, eu tenho aula de ginástica e de português.
- ....
- Não, Pedro não vai ao dentista segunda de manhã. Eu vou com ele à tarde.
- ....
- Na quinta-feira de manhã, eu vou ao escritório das oito e quinze às 5 para o meio-dia.
- ....
- Eu vou ao escritório quarta-feira de tarde e quinta-feira de manhã.
- ....
- Nós temos reunião sexta-feira de tarde.
- ....
- Sim, podemos ir ao cinema domingo à tarde.

2. Complete a agenda de Sônia com as informações do exercício 1.

33ª Semana			
AGOSTO			
12 Seg	*10:00 - 11:50 aula Português* *14:30 dentista Pedrinho*	**16 Sex**	
13 Ter		**17 Sab**	
14 Qua		**18 Dom**	
15 Qui		**Importante:**	*22/8 Aniversário Dona Marta (90)*

C1 12. Compromissos

Organize os diálogos.

a)

- [ ] Tudo bem. Por favor, telefone para confirmar o horário.
- [1] Bom-dia, Édson.
- [ ] Então, vamos começar às 10h em ponto.
- [ ] Às 8 horas não posso. Tenho um cliente, mas às 9h30 estou livre.
- [ ] Bom dia.
- [ ] Você pode ir à reunião geral na 5ª feira às 8h?

b)

- [ ] No fim de semana, vou à praia com meus amigos. Você quer ir também?
- [ ] Tudo bem.
- [ ] Não tem problema. Podemos sair à uma e meia.
- [1] Oi, Sandra, tudo bem?
- [ ] É claro! Mas só posso viajar no sábado à tarde. De manhã, eu trabalho.

C2 13. Uma carta

Você tem um convite para o fim de semana. Escreva a carta com estas informações.

Você não pode ir porque... No próximo fim de semana, você vai estar livre.

, 8 de fevereiro

Caro(a)

Como vai, tudo bem?

Gostaria de passar o fim de semana com vocês, mas...

Um abraço

D1 14. Notícia de jornal

1. Leia o texto e depois escolha um dos títulos.

VIDA NA CIDADE GRANDE
TRANSPORTE NA CIDADE GRANDE

Atualmente, morar e trabalhar numa cidade grande como São Paulo ou Rio de Janeiro é muito difícil. Por exemplo, as pessoas passam horas dentro do carro ou do ônibus só para ir ao trabalho por causa do excesso de veículos nas vias públicas.

Nos bancos, nos supermercados, nos restaurantes, as filas são imensas. Para os que trabalham, o almoço pode ser um simples sanduíche para economizar tempo. Resultado: as pessoas não têm muito tempo para o lazer, como ir ao cinema, ao teatro, à praia, visitar amigos etc.

Atividades

2. Relacione

1) carro
2) ônibus
3) vias públicas
4) fila

☐ ruas, avenidas etc.
☐ transporte individual
☐ em local público, grupo de pessoas esperando sua vez
☐ transporte coletivo

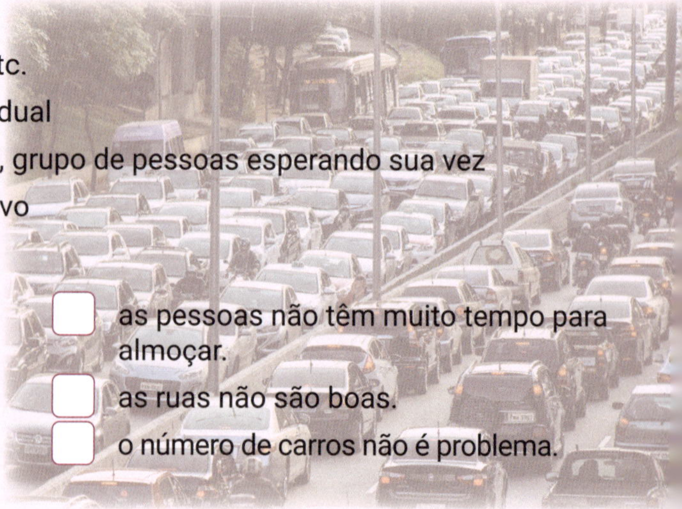

3. O texto diz que...

☐ as pessoas não vão muito ao cinema, à praia etc.
☐ as pessoas têm muito tempo para ir ao trabalho.
☐ as pessoas não têm muito tempo para almoçar.
☐ as ruas não são boas.
☐ o número de carros não é problema.

D2 15. Posso falar com o Carlos, por favor?

44

1. Ouça o diálogo.

Carlos e Bruno estão falando sobre...

☐ convite para um jantar
☐ problemas do restaurante
☐ a festa da Paula

2. Certo (C) ou errado (E)?

	C	E
a) Bruno convida Carlos para o jantar da Paula.	☐	☐
b) O jantar vai ser às 9 horas.	☐	☐
c) Depois do trabalho, os amigos vão almoçar com a Paula.	☐	☐
d) Carlos pode ir ao restaurante às 9 horas.	☐	☐
e) O restaurante se chama "Santo Amaro".	☐	☐

E 16. Comunicação na sala de aula

Relacione as frases do aluno e do professor.

Eu	Sim, faça o exercício E1 no livro de exercícios.
Como se fala *homework* em português?	Abram o livro-texto, por favor.
Não, não entendi.	Está claro?
T-A-R-E-F-A.	Tarefa.
Em que página?	Quem não entendeu?
Tem tarefa?	Soletre, por favor.

E 17. Palavras

1. Procure nas lições 1 e 2:

a) 8 atividades para o fim de semana
b) 6 profissões

2. Escreva as formas femininas.

senhor ....
colega ....
francês ....
marido ....
irmão ....
alemão ....

3 Lição

A1/2 1. Mesa, cardápio, aperitivo

1. Complete o diálogo.

É domingo. A família Junqueira (marido, mulher e dois filhos) vai ao restaurante.

2. Complete.

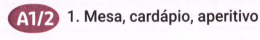

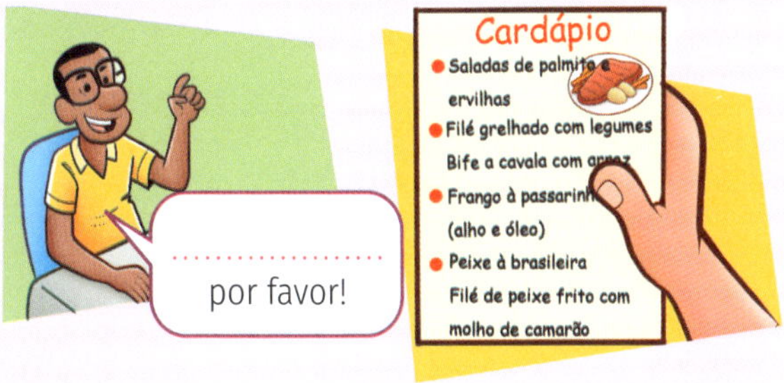

3. Complete e responda.

- Você .... um aperitivo antes do almoço?
- ....
- Você gosta .... batida?
- ....
- Que batida você .... tomar?
- ....

A3/4 2. O que você vai pedir?

1. Relacione.

a) um salada	[ ]	de coco
b) pernil	[ ]	bem grande
c) uma cerveja	[ ]	com farofa
d) um suco de maracujá	[ ]	ao ponto
e) um filé	[*a*]	mista
f) doce	[ ]	frita
g) batata	[ ]	frescas
h) frutas	[ ]	bem gelada

2. O que você quer? Escreva frases usando os elementos de 2.1.

Eu quero uma salada mista.

....

....

....

....

A5 3. Convite

Escreva um convite para um jantar em sua casa.

– sábado, 20 horas
– aperitivo, comida brasileira (ou do seu país), bebidas, sobremesa

Querido(a),
Quero convidar...

....

....

Um abraço

Atividades

B1 4. Pronomes possessivos

Marina, você tem
Sua .... casa
.... livros
.... amigos
.... fotos
.... irmãs

Pedro, você tem
Seu .... apartamento
.... profissão
.... amigas
.... vida
.... irmãos

Eles falam: Nós temos .... vida, ... amigos, ... problemas.

B2 5. *Gostar de*

Escreva sobre você. Do que você gosta ou não gosta?

Exemplos:
carne? *Eu gosto de comer carne.*
seu chefe? *Eu não gosto do meu chefe.*

sua casa	ir ao cinema
sua cidade	trabalhar
seus pais	futebol
escrever	beber vinho
política	comida italiana
ler	...

B3 6. Verbo *estar*

estar com fome **estar com sede** **estar livre** **estar ocupado**

1. Escreva.

a) Eles ....

....
....
....

b) Ela ....

....
....
....

c) O telefone ....

....
....
....

d) A mesa ....

....
....
....

2. Escreva as perguntas e respostas.

a) Laura/cinema? *Laura está no cinema?*

Não, ela está na biblioteca.
....
....

b) Eles/Manaus? ....

....
....
....

c) Alberto/clube? ....

....
....
....

d) O casal/restaurante? ....

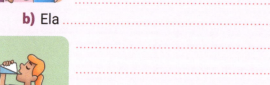

....
....
....

B5 7. Verbo irregular *querer*

1. Escreva frases completas.

- **a)** Eu/querer falar/ela Eu quero falar com ela.
- **b)** Nós/querer jantar/juntos ....
- **c)** Elas/querer ir/cinema ....
- **d)** Ele/querer comer/pizza ....

B3/4/5 8. *Estar*, *beber*, *querer*

Preencha com os verbos *estar*, *querer* e *beber* e com o vocabulário das páginas 16 e 17 do livro-texto

A família Soares entra no restaurante. O garçom pergunta a eles o que eles .... comer.
O senhor Soares .... comer um .... ao ponto.
Ele .... uma .... bem ....
Sua mulher, Sofia, não .... com fome.
Mas ela .... com .... Ela vai .... um .... de laranja. Seus filhos .... um espeto com .... e ....
Eles sempre .... suco de laranja.

B6 9. *Ser* ou *estar*

1. Complete as definições.

2. Faça as palavras cruzadas.

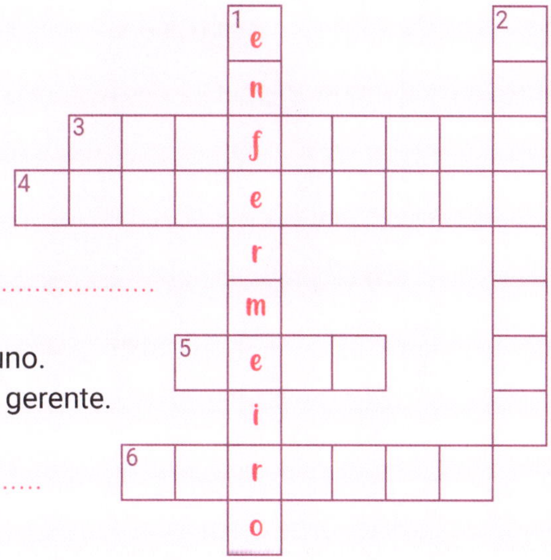

- **1)** Ela ....está.... no hospital; mas não ....é.... paciente.
- **2)** O relógio não .... certo; mas também não .... adiantado.
- **3)** Ele .... na classe; mas não .... aluno.
- **4)** Ela .... no escritório; mas não .... gerente.
- **5)** Eu não estou com fome; mas .... com ....
- **6)** Eles .... no restaurante; mas não .... clientes.

C 10. Quem é você?

Leia o exemplo e escreva um texto sobre você.

- Quem é você?
- O que você quer da vida?
- O que você gosta ou não gosta da sua vida?

Meu nome é Lutz Rohrmann. Sou alemão, mas moro em São Paulo no momento. Minha esposa é professora numa escola teuto-brasileira. Sou editor de livros didáticos e professor de línguas. Nós temos um filho. Eu gosto do Brasil e dos brasileiros. Minha esposa e eu gostamos muito de viajar. Queremos visitar a Amazônia nas férias.

Às vezes, a vida em São Paulo pode ser bem difícil. O trânsito nas ruas da cidade é horrível e não gosto da poluição. Mas, mesmo assim, eu gosto muito da cidade, dos cinemas, teatros e restaurantes. Eu quero uma vida tranquila e um mundo sem fome e violência. Todos nós queremos isso, não é?

Atividades

11. Informações sobre o Brasil

45 **1. Ouça e indique no mapa onde estão.**

Grandes Indústrias	Floresta Amazônica
Cidades Grandes	Regiões Mais Ricas

2. Complete com números do texto.

a) O Brasil tem .... de km² de área.
b) O Brasil tem mais de .... de habitantes.
c) A Região Norte, com a floresta Amazônica, ocupa ....% do Brasil.

D2 12. Carta do leitor

1. Leia a carta e as fichas na página 77.

2. Qual é o correspondente mais adequado para Marilena? Por quê? Por que os outros não são?

The International Home Magazines.

C/o Editor

. . . .

Caro Editor

Meu nome é Marilena. Tenho 23 anos. Sou brasileira de Recife, mas moro em Belo Horizonte desde os 10 anos. Sou secretária de uma pequena indústria de calçados. Trabalho o dia inteiro e à noite estudo línguas (inglês e alemão). Quero viajar, conhecer países diferentes, gente diferente com costumes diferentes. Talvez, morar num outro país... É por isso que lhe escrevo de tão longe. Tenho 1,65 m de altura, 60 quilos e sou muito romântica. Quero corresponder-me com rapaz solteiro ou divorciado (sem filhos), de 25 a 35 anos, alto, com boa situação profissional, esportivo, sincero e carinhoso. Aguardo cartas com foto.

Marilena Antunes

Marilena Araújo F. Antunes

Rua do Sol, 32, apto 5

Belo Horizonte – Minas Gerais – Brasil

Dieter Köln, alemão, 34 anos, 1,83 m de altura, solteiro. Professor. Gosta de ler, de ouvir música clássica, de cuidar de orquídeas.

Marcos Paoletti, italiano, 35 anos, 1,85 m de altura, solteiro. Estudante. Gosta de todos os tipos de esportes.

Andreas Peterli, suíço, 22 anos, 1,60 m de altura, solteiro. Químico. Gosta de velejar, esquiar e acampar.

John T. O'Hara, americano, 37 anos, 1,78 m de altura, divorciado. Técnico em computação. Gosta de praticar esportes nos fins de semana.

E1/2 13. Palavras, palavras, palavras

1. Risque o que é diferente.

a) pernil, frango, lombo, bife, ~~brócolis~~
b) pudim, sorvete, farofa, torta, frutas
c) caipirinha, guaraná, coca, limonada, laranjada
d) alface, palmito, tomate, peixe, cenoura
e) sobremesa, aperitivo, entrada, cafezinho, sanduíche

2. Identifique os objetos.

1. ....
2. ....
3. ....
4. ....
5. ....
6. ....
7. ....

Atividades

14. Caça-palavras

Procure 15 palavras → ou ↓ ligadas à ideia de tempo.

h	w	w	e	h	r	a	t	a	o	p
o	o	k	j	o	g	m	d	t	m	z
r	c	x	b	j	i	a	h	r	a	d
a	w	e	e	e	y	n	o	a	n	p
t	a	r	d	e	g	h	r	s	h	z
x	c	t	b	n	m	ã	á	a	ã	d
r	e	l	ó	g	i	o	r	d	o	n
ç	s	e	m	a	n	a	i	o	a	o
t	c	v	b	a	u	j	o	g	f	i
a	d	i	a	n	t	a	d	o	o	t
h	o	r	á	u	o	o	s	s	a	e
x	c	v	b	n	s	j	d	i	a	d
s	e	g	u	n	d	o	s	i	m	d
x	c	v	b	n	m	j	c	e	d	o

Escreva-as abaixo:

1. hora
2.
3.
4.
5.
6.
7.
8.

9.
10.
11.
12.
13.
14.
15.

4 Lição

A1/2 1. Leia a ficha e complete o diálogo

- Hotel Albatroz, bom dia!
- *Bom dia* ....
- Pois não?
- ....
- Para que dia é a reserva?
- ....
- E quantos dias vão ficar?
- ....
- Apartamento duplo ou simples?
- ....
- Para esta data só temos um apartamento duplo, de frente para a rua.
- ....
- Não muito, a rua é tranquila. O quarto é grande e tem todo conforto. O senhor vai gostar.
- *Tudo bem / Está certo.* ....
- A reserva é em nome de quem?
- ....
- Muito bem, está reservado.
- *Muito obrigado. Até logo.* ....

Reserva

Nome:	*Victor Martin*
Entrada:	*18/08*
Saída:	*21/08*
Apartamento:	*duplo de frente*

A2/3 2. Uma carta

Complete a carta com as palavras abaixo.

diária estar ficar barulho ter apartamento cama fundos simples

Capão da Canoa,

Querido Édson

Tudo bem? Estou de férias em Capão. .... hospedada no Xangrilá, que é um hotel .... e tranquilo. .... perto da praia e .... um bom restaurante. Meu .... é pequeno, mas tem uma .... confortável, televisão, telefone (3665-3221). É um quarto de .... porque você sabe que não gosto de .... O mais interessante é que a .... não é muito cara. Acho que vou ficar aqui duas semanas. Mas estou muito sozinha.

Um abraço,

Jussara

Atividades

A3 3. Reclamações

O que você pode dizer?

a) O ar-condicionado 2, 5, 6 .... 1 é muito dura.
b) A cama .... 2 não está funcionando.
c) A rua .... 3 é muito escuro.
d) A televisão .... 4 tem cheiro de mofo.
e) O quarto .... 5 é muito frio.
f) O chuveiro .... 6 é muito barulhento/a.
g) O elevador .... 7 está muito abafado.

O ar-condicionado não está funcionando. O ar-condicionado é muito...

A4 4. Acho que...

Complete os diálogos com as expressões abaixo.

Acho que/Acho que sim/Acho que não/Talvez/Não sei

a) • Você também vai passar o carnaval em Olinda?
• ...., mas ainda não tenho reservas de hotel.

b) • O Roberto vai morar nos Estados Unidos?
• ...., ele não fala sobre isso.

c) • Você acha que ainda tem lugares no teatro Guaíra hoje à noite?
• ...., segunda-feira é um dia tranquilo.

d) • Pode mudar o dia da reunião?
• ...., a agenda desta semana está completa.

e) • A que horas começa o debate sobre o cinema africano?
• .... às 14 horas.

A5 5. Siga em frente

Consulte o mapa da página 26 e depois faça o exercício. Você está na Praça Sílvio Romero. Três pessoas lhe pedem informações.

Relacione as perguntas e respostas.

1 "Por favor, onde fica o Largo Nossa Senhora do Bom Parto?"

2 "O bazar é longe daqui?"

3 "Onde é a rotisseria, por favor?"

☐ "Se o senhor está de carro é fácil. O senhor segue em frente pela rua Tuiuti, até o fim e depois vira à esquerda. Não sei o nome da rua, mas fica no segundo quarteirão à esquerda."

☐ "É simples: o senhor continua pela Serra Bragança até a rua Monte Serrat. Aí, o senhor vira à direita. Fica na esquina."

☐ "Você entra na rua Coelho Lisboa. Você anda 4 quarteirões e chega na rua Azevedo Soares. Aí, você vira à esquerda, é logo em frente."

B2 6. Pronomes possessivos: *dele, dela, deles, delas*

Escreva frases completas.

Exemplo: *O Sérgio está em casa. O carro do Sérgio está na garagem.*

⟶ O carro dele está na garagem. ⟶ Seu carro está na garagem.

a) Lúcia não está em casa, mas o marido da Lúcia está.

....

....

b) Meus amigos moram aqui. Os pais dos meus amigos moram em Vitória.

....

....

c) Renato gosta do novo trabalho. As colegas do Renato são simpáticas.

....

....

d) Preciso falar com a Paula. Você tem o telefone da Paula?

....

....

e) As fotos são dos nossos alunos. Estes vídeos são dos alunos também.

....

....

B4 7. Verbos em *-ir*

Complete com *assistir, permitir, dividir, discutir, desistir, preferir*.

a) • Meus vizinhos .... à televisão todos os dias.

b) • Puxa, que apartamento grande! Você mora sozinha ou .... com alguém?

• Eu .... com meu irmão e um amigo.

• Você não .... morar num apartamento pequeno, mas sozinha?

• Não, de jeito nenhum.

c) • Os hotéis no Brasil não .... a entrada de animais. Sempre que viajamos com a Fifi, minha mulher .... com os gerentes. Ela não .... facilmente. Eu .... tranquilamente à discussão. Não posso fazer nada.

B5/6 8. Verbos misturados

Complete os diálogos com *fazer, ficar, preferir, querer*.

a) • Viajo no fim do mês. Vou .... 5 dias em Brasília.

• Ah, é? E o que você vai .... lá?

• .... fazer uma reportagem com o novo Ministro da Economia.

b) • Nossa agência de turismo .... tudo para o cliente: reservas, programas etc.

• Vocês .... também reserva de hotel?

• Sim, mas nós só .... reserva para quem .... mais de uma semana no hotel.

c) • Se você não .... mudar de hotel, eu quero! Aqui eu não ....

• Mas eu .... este.

Atividades

B3/5 9. Comparação com *mais*: preferência

teatro	—	cinema
rock	—	música clássica
casa	—	apartamento
hotel	—	*camping*
carne	—	peixe
cidade	—	praia
carro	—	moto

interessante
alegre
seguro
tranquilo
rápido
gostoso
confortável

1. Compare.

Exemplo: teatro — cinema

Teatro é mais interessante do que cinema.

2. Agora escreva o que você, sua família, seus amigos preferem.

Prefiro ir ao teatro. Acho mais interessante do que cinema.
Meus filhos preferem cinema. Eles acham...

B7 10. O que eles estão fazendo?

Observe o desenho e escreva.

a) O pai ....

b) A mãe ....

c) O filho ....

d) A filha ....

C1 11. Casa ou hotel?

1. Daniel Moreira e sua família passam as férias na praia. Eles preferem ficar numa casa e não no hotel. Por quê? Escreva no mínimo cinco frases.

1. Na hora do almoço
2. Na casa
3. A família
4. Seus filhos
5. Passar as férias na casa

- querer receber amigos.
- poder preparar seus pratos preferidos.
- ficar mais barato.
- poder viver sem horário fixo.
- preferir a tranquilidade da casa.

Na hora do almoço, eles podem preparar seus pratos preferidos.

2. Outras pessoas preferem passar as férias no hotel. Por quê?
Escreva um pequeno texto.

PODER
PREFERIR
(NÃO) GOSTO DE
QUERER
BAR
JANTAR NO
ARRUMAR
LIMPAR
TER MAIS TEMPO LIVRE
COZINHAR
TOMAR UM DRINQUE
RESTAURANTE
NÃO PRECISAR

C1 12. Férias

Veja os anúncios e escreva aos amigos explicando por que você vai ao Hotel Estância ou visitar o Pantanal Matogrossense.

HOTEL ESTÂNCIA
RECANTO DA CACHOEIRA
Lugar simples e acolhedor. Estrelas, só as do céu. Muita área verde, rio piscoso, cachoeira, piscina de água mineral, quadras, sl. de jogos, cavalos e restaurantes. Diária completa.
Promoção: de domingo a sexta
RESERVAS: Tels.: (011) 6464 3697 - São Paulo
(0192) 9595 2318 - Socorro (0132) 3838 3705 – Santos

PANTANAL MATOGROSSENSE
BOLÍVIA - PARAGUAI
11 dias - 10 refeições
Maravilhosos dias no paraíso da fauna e flora. Ponta Porã, Pedro J. Caballero (Paraguai), Campo Grande, Corumbá (viagem de trem atravessando o Pantanal), Puerto Soares (Bolívia), Cuiabá - Rodovia Transpantaneira, Chapada dos Guimarães.
Hospedagem nos melhores hotéis.
SAÍDAS Abril: 20 SAÍDAS Maio: 7/17/21

C2 13. Teatro Amazonas

A foto ao lado mostra o famoso Teatro Amazonas, em Manaus.
Você está em Manaus. O que você precisa saber para visitar o teatro? (localização, horário, transporte...). Escreva quatro perguntas.

1 *Onde ?* ....
2 ....
3 ....
4 ....

D1 14. Rádio Eldorado

46

1. Ouça a gravação. O texto é

☐ um anúncio. ☐ uma reportagem.

2. Ouça novamente e marque.

a) O hotel fica na Finlândia.
b) O carnaval do hotel é famoso.
c) O hotel é tranquilo.
d) Você pode fazer reservas em São Paulo.

3. Marque. O hotel oferece:

☐ sauna ☐ garagem
☐ golfe ☐ telefone
☐ piscina natural ☐ TV a cabo
☐ lojas de *souvenirs* ☐ música ambiente
☐ restaurante ☐ *internet*

4. Telefones para reservas no Rio:

....

Atividades

D2 15. Hotel Lancaster

1. Leia o texto e marque as características do Hotel Lancaster.

- [ ] grande
- [ ] na cidade
- [ ] familiar
- [ ] três estrelas
- [ ] na praia
- [ ] moderno

O melhor três estrelas

O Hotel Lancaster, em Curitiba, recebeu uma homenagem da Abav (Associação Brasileira dos Agentes de Viagens) como "O Melhor Três Estrelas do Paraná". O mérito deve-se à excelente qualidade de serviços oferecidos, além de proporcionar ao hóspede o conforto necessário para uma boa estadia. O hotel conta com 106 apartamentos amplos, modernos, dotados de ar-condicionado, TV a cabo, música ambiente, frigobar. O restaurante oferece serviço à la carte e sua tradicional feijoada às quartas-feiras e sábados. O Bar Executivo é o ponto de encontro obrigatório das 17h à 1 hora. Sauna seca e úmida, sala para massagens, ducha escocesa, sala de repouso, e outras opções de lazer. O hotel dispõe de salas de reuniões com todos os equipamentos necessários para convenções, reuniões, encontros, palestras etc. Os pães, doces, tortas e salgados são produzidos na Confeitaria Lancaster.

2. O que o hotel oferece...

a) nos quartos? ....
....

b) no restaurante? ....
....

c) para reuniões? ....
....

d) lazer? ....
....

E1 16. Hotéis: categoria e serviços

Relacione os símbolos com as definições. Trabalhe primeiro sem dicionário.

- [ ] Facilidades para pessoa com deficiência
- [ ] Hotel confortável
- [ ] Hotel muito confortável em meio à natureza
- [ ] Internet
- [9] Serviço de praia
- [ ] *Playground*
- [ ] Boa relação custo-benefício
- [ ] Restaurante
- [ ] Telefone
- [ ] TV por assinatura

E2 17. Rio de Janeiro em números

Leia as informações. Você sabe dizer os números?

Capital: Rio de Janeiro
Área: 43.797,4 km^2
Municípios: 92
Localização: Leste da região Sudeste
População: 17.200.000 habitantes
População da capital: 6.690.000 habitantes
Nativo da cidade: Carioca
Clima: tropical atlântico
Temperatura média anual (capital): 24°C
Índice de urbanização: 96%
Índice de analfabetismo: 6%
Participação no PIB: 11,2%
Representação no Congresso Nacional: 3 senadores / 46 Deputados Federais
Vegetação: Mangues no litoral, Mata Atlântica e floresta tropical

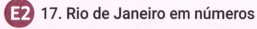

5 Lição

A1 1. Procurando um apartamento

Organize o diálogo.

☐ 1 ☐ 2 ☐ 3 ☐ 4

A Ah! A senhora procurou na lista errada! As fichas de apartamentos são estas aqui.

B Por favor, o senhor tem outras fichas de apartamentos para alugar?

C É que estou querendo um apartamento e aqui só tem casas.

D Não. Mas a senhora já olhou todas as fichas? E não achou nada?

A2 2. Características

Complete as frases com os adjetivos. Há várias possibilidades.

| úmido/a | ensolarado/a | agradável | pequeno/a |
| caro/a | grande | escuro/a | abafado/a |

a) Esta casa é bonita, mas ....

b) A cozinha é pequena, mas ....

c) Este quarto é menor do que o outro, mas é ....

d) Bate muito sol na sala, mas ela é ....

e) Este apartamento é confortável, mas ....

A3 3. O que para quem?

Escolha nos anúncios um imóvel para estas pessoas.

1) Florzinha de Carvalho, 38, ex-campeã de caratê, quer abrir uma academia de ginástica.

2) João Morais, 45, gerente de publicidade, casado, 6 filhos, procura apartamento grande, confortável, mobiliado.

3) Sebastião da Veiga, 52, fazendeiro, 3 filhos, quer passar as férias na praia. Não gosta do mar, prefere casa com piscina.

4) William da Silva, escritor, ótimo ator, produtor e diretor com estágio em Hollywood, procura local para apresentar espetáculo.

ALUGA-SE

A) Ap. cobertura triplex - Lindenberg, novo, 7 dorms., 6 gar., c/tel. Mobiliado. F.: 3844-1586 - César.

B) Flat de 1 e 2 dorms. - C/serviços, no Itaim Bibi, p/executivos e empresas. Tr. F.: 241-7022 c/ D. Malu.

C) Lit. Norte! - Riviera de S. Lourenço/Bertioga. Chalés p/5 pess. c/ piscina, salão jogos, restaurante. Os melhores da região! F.: (011) 4449-8520.

D) Chalés em Ubatuba - Praia Maranduba. Acom. p/ 6 pess. frente p/ o mar. F.: (0124) 43-1399 ou 43-1714

E) Auditório aluga-se - Região da Paulista. Por hora ou dia. Ligue F.: 3257-3599 ou FAX: 1134954

F) Mercedes branco ano 1964 - Impecável p/ casamentos/festas. Tr. F.: 257-9071 ou 257-8527 c/ João.

G) Férias Juqueí - alugo boa casa, 4 dorms., gar. e piscina. Pertinho da praia! F.: 88306592.

H) Salão p/ ginástica, ballet, aeróbica etc. c/ 100m², vestiários m. f., espelhado, c/ barras, som compl., bem iluminado. Disponível tarde/noite. Local Itaim. Tratar. F.: 282-9341 2ª 3ª após 16h.

Atividades

A4 4. A sala

Observe o desenho e complete as frases com uma preposição:

ao lado	em cima
~~em frente~~	entre
atrás	

a) Há três bancos em frente do bar.

b) As almofadas estão .... do sofá.

c) À esquerda, ... do vaso de plantas está a sala de jantar.

d) O quadro pequeno está .... as janelas.

e) A mesa está .... dos sofás.

B1/2/3 5. Pretérito perfeito dos verbos regulares

1. Responda com os verbos.

abrir bater convidar vender

a) Por que Fernando viajou de trem?
Porque .... o carro.

b) Por que é que ela pegou o ônibus?
Porque .... o carro.

c) Por que você passou as férias na praia?
Porque meus amigos me ....

d) Por que precisamos esperar aqui?
Porque as lojas ainda não ....

2. Complete o diálogo.

- Mariana, você viajou com seus amigos para Gramado este ano?
- Sim, viajei.
- Vocês conseguiram um bom hotel?
- ....
- Você assistiu ao festival?
- ....
- Gostou?
- ....
- Você conheceu algum ator famoso?
- ....
- Você saiu com ele?
- .... Agora chega!!
- Que pena!

B4 6. *E-mail*

Leia o *e-mail* de Marcos e complete o diálogo entre a mãe dele e uma amiga.

Para: lucindasilva@brasilemail.com.br
Cc:
Bcc:
Assunto: Chegamos bem...

Querida mamãe,

Desculpe por não ter dado notícias, é que andei ocupadíssimo, muito trabalho na firma (ontem saí às 10 da noite) e em casa. Por isso, não tive tempo.
A cidade é bonita, moderna, tranquila, com muitas árvores e pouco trânsito. Nos primeiros dias, ficamos num hotel, mas já na semana seguinte consegui alugar uma casa. Ela tem 2 quartos e uma sala grande. Fica perto das lojas, num bairro tranquilo. Vou mandar fotos no próximo e-mail. Ontem vendi nosso carro. Vou comprar um novo no próximo mês. Mas aqui não preciso de carro como em São Paulo. Na semana passada, convidamos novos amigos para uma festa aqui em casa. Assim, já conhecemos muita gente.
No fim de semana eu ligo, logo vou enviar as fotos.
Um beijo,
Marcos.

- Já tem notícias do Marcos e da Marineidy?
- Tenho. .... um *e-mail* deles ontem. (receber)
- Eles .... Maringá? (gostar de)
- .... Já .... uma casa. (gostar, alugar)
  O Marcos .... o carro e .... um novo. (vender, comprar)
- Puxa! Parece que eles vão indo bem.
- Acho que sim. Também já .... muita gente. (conhecer)
  Só que ele .... muito trabalho. (ter)
  Sexta-feira passada ele só .... da fábrica às 10 da noite. (sair)

B4 7. Perguntas e respostas

Relacione.

a) Quantos prêmios o filme recebeu?	☐	1. Ainda não.
b) Ela já recebeu os *e-mails*?	☐	2. Batemos o velho.
c) Quantas estrelas tem este hotel?	☐	3. Não bate sol nela.
d) Quem bebeu o vinho?	☐	4. Uma.
e) Por que você não gostou da casa?	☐	5. Pedro.
f) Por que vocês compraram um carro novo?	☐	6. Recebeu três.

Atividades

B5 8. Comparativo

O que é melhor, viver no campo ou na cidade? Complete com maior, menor, melhor, pior.

Viver no campo é .... para quem gosta de vida tranquila. Também o aluguel é bem .... do que na cidade grande. Mas na cidade as chances de encontrar um bom emprego são .... E as .... lojas também ficam na cidade. Só que a qualidade de vida na cidade é muito .... do que no campo.

C1 9. Uma carta

Querida Rita,

Está tudo bem aqui. Tenho muito trabalho, mas o ambiente no escritório é agradável. No escritório, não tenho problemas. Meu problema é encontrar uma casa para nós. Ou um apartamento, não sei. Mando-lhe estas duas fotos. Examine-as e diga-me se você quer morar numa casa (a da foto), bem longe da cidade, longe de tudo, ou num apartamento (indiquei o prédio na foto) grande, bonito, com terraço, perto de boas escolas, de lojas, perto de tudo. Visitei a casa e o apartamento. Gostei dos dois. Não sei o que fazer. Responda logo.

Um beijo
Caio

Responda à carta. Diga:

— que você está bem
— que você prefere a casa/o apartamento porque...
— que você quer ter mais informações (preços, m^2, quantos quartos/banheiros, piscina,...)

C2 10. Mudança

Na semana passada, você se mudou. Escreva sobre o dia da mudança.

1 7:00

2 7:15

3 10:35

4 11:30

5 11:35

- chegar às 7
- transportar móveis para o caminhão
- abrir armários
- fechar o caminhão
- O sofá cair na rua

1 *Os homens chegaram às 7 horas.*
2 ....
3 ....
4 ....
5 ....

D2 11. João-de-barro

1. Observe os desenhos e leia o texto sem usar o dicionário. Sublinhe as partes do texto que se referem aos desenhos.

João-de-barro é um interessante pássaro brasileiro pelo hábito de viver perto dos homens e fazer ninho nas proximidades de nossas casas. A espécie mais comum tem o corpo de cor de canela e o peito varia do vermelho ao branco. Mede em geral 20 centímetros. O que dá o nome ao João-de-barro é o fato de construir ninhos não com material normalmente empregado pelas outras aves, mas de barro. Usa os pés e o bico para transportar e trabalhar o barro. O ninho tem duas divisões: na parte interna, coberta com folhas e galhinhos secos, a fêmea põe os ovos. Às vezes, faz casas umas em cima das outras, como um prédio. O João-de-barro vive nas regiões Sul e Sudeste do Brasil.

2. Leia o texto novamente e marque as frases certas.

a) [ ] O João-de-barro é um pássaro.

b) [ ] Ele vive na Amazônia.

c) [ ] Ele vive perto dos homens.

d) [ ] Ele faz a "casa" dele com materiais normais.

e) [ ] Ele é muito grande.

3. Corrija as frases erradas.

....

....

....

....

....

papagaio

arara

tucano

jaburu

D2 12. Leia o texto

No Brasil, há vários tipos de moradia, desde mansões de muito luxo até habitações precárias, improvisadas, sem condições de higiene e conforto. Algumas casas são típicas da região em que se encontram ou do povo que as ocupa. Vamos apresentar, aqui, alguns tipos de moradia brasileira.

Oca – cabana de índios. A oca é geralmente redonda, sem divisões internas, com telhado de palha, sem paredes externas. Na oca, moram várias famílias de índios. Todos dormem juntos, cada qual em sua rede. Várias ocas juntas formam a taba, uma aldeia indígena.

Palafita – casa muito pobre, construída sobre estacas, às margens de lagos e rios.

Casa de fazenda – casa grande, sólida, com muitos cômodos, construída para residência do dono da fazenda e de sua família. Por causa do calor intenso, a casa da fazenda tem, geralmente, uma grande varanda em toda a volta, para diminuir a temperatura em seu interior.

Atividades

Cortiço – geralmente, uma casa velha, grande, no centro da cidade ou perto dela, transformada em habitação coletiva, para várias famílias. Os moradores não têm privacidade, nem condições de higiene.

Barraco – habitação improvisada, construída com material de várias origens. Vários barracos juntos formam a favela.

47 **D2** **1. Observe o desenho da casa e ouça o texto.**

2. Agora, ouça o texto novamente e desenhe, na casa, as modificações que Júlia quer fazer.

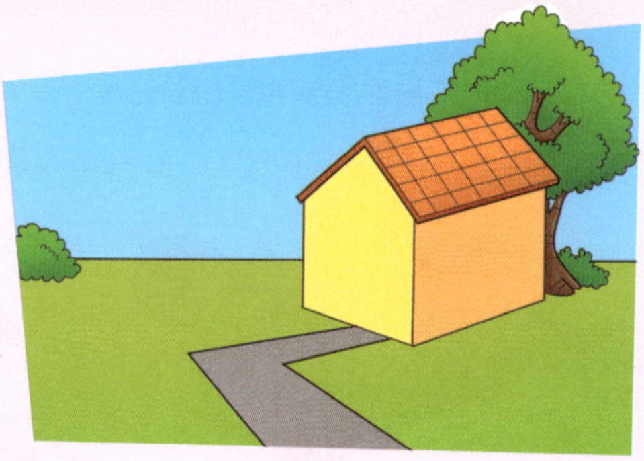

48 **13. Bobagem?**

Você vai ouvir duas vezes o que D. Ester diz. Na primeira vez, anote apenas os temas que ela aborda. Na segunda vez, anote os detalhes de cada tema. No final, reproduza oralmente o que D. Ester diz, com o maior número de detalhes, seguindo suas anotações.

E **14. Qual é o intruso?**

a) arrumar
lavar
limpar
trocar
secar

b) mão dupla
velocidade
data
sinal
contramão

c) cozinheira
empregada
jardineiro
camareira
estrangeiro

d) fábrica
loja
bar
casa
lanchonete

e) investimento
negócio
dinheiro
banco
farofa

f) tranquilo
confortável
longe
seguro
luxuoso

g) mesa
abajur
estante
poltrona
chuveiro

h) úmido
barulhento
sujo
perto
feio

6 Lição

A1 1. Frequência

Complete as frases abaixo com as seguintes expressões:

o tempo todo	de vez em quando	o dia inteiro	às vezes	geralmente	sempre

Exemplo:
- Luís fala sem parar.
- É. Ele fala *o tempo todo / o dia inteiro.* ....

a) • Rogério trabalha das 7 da manhã às 8 da noite.
• Puxa, ele trabalha ....

b) • A Paula chega atrasada todos os dias.
• É terrível. Ela .... chega às 9:30 ou ainda mais tarde.

c) • O Zé só anda de ônibus uma ou duas vezes por mês.
• Eu também só ando de ônibus ....

d) • Meu pai não para de fumar. O colega dele também fuma ....

e) • Meu filho muitas vezes dorme tarde, ... ele só dorme à meia-noite.

A1/2 2. Atividade do dia a dia

O que as pessoas estão fazendo?

1 *Ele está lavando roupas.* ....

2 ....

3 ....

4 ....

5 ....

6 ....

Atividades

A3 3. Palavras cruzadas

1. Crianças com mais de 14 anos.
2. Limpa a casa.
3. A Dona Cecília depois de um dia diferente.
4. Geralmente, trabalha pouco ou nada em casa.
5. Trabalha em casa e não ganha nada.
6. Dona Conceição tem muito em casa.
7. Ser professora é ter uma...
8. Às vezes, a Dona Conceição pode voltar para casa um pouco mais...
9. Quem faz os serviços domésticos para D. Cecília é a...
10. Colega da nº 2 e nº 9 também trabalha em restaurantes.
11. O relógio mostra isso.
12. 38, 43, mas, geralmente, não se fala sobre isto.
13. Onde a Dona Conceição mora.

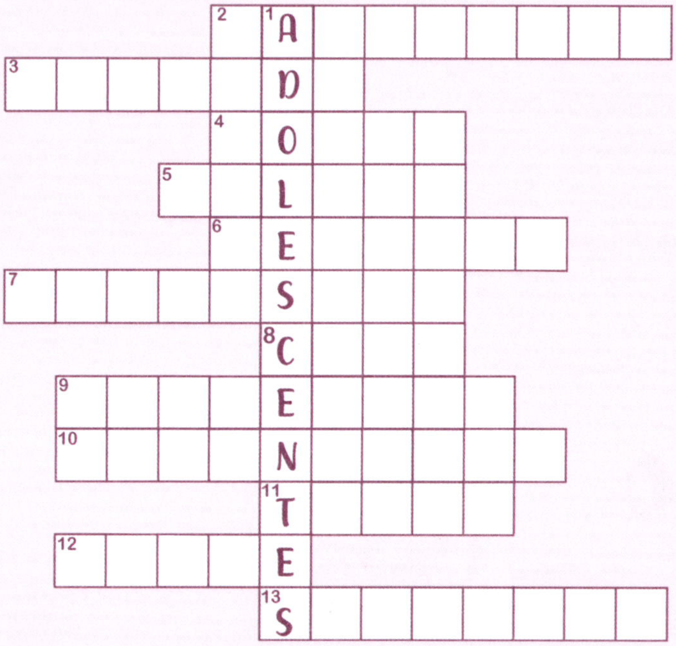

B1 4. Pretérito perfeito – Verbos irregulares *ir*, *ser*

Complete o diálogo.

- Você .... (ir) ao Embu no domingo passado?
- Não, não .... (ir), ... (ir) à praia.
  Mas sei que a feira .... (ser) boa. Meus amigos .... (ir). E você .... (ir)?
- Eu .... (ir). A feira .... (ser) ótima.

B2/3 5. Pretérito perfeito – Verbos irregulares *ter*, *estar*, *fazer*, *querer*, *poder*

1. Complete.

Exemplo: (querer) Ontem eu não quis.......................... falar com ele.
E você? Você quis.......................?

a) (fazer) Ontem eu não .... meu trabalho. E você?
Você ....?

b) (estar) No ano passado, eles .... na Bahia. E você?
Você ....?

c) (ter) Nós não .... muito serviço ontem. E você?
Você ....?

d) (poder) Ontem, eu não .... levar as crianças à escola
E você? Você ....?

2. Complete.

Exemplo: (querer) Ela não quis......................... fazer o teste ontem, mas nós quisemos...............

a) (fazer) Nós não .... nossa tarefa, mas eles ....

b) (estar) Eu ainda não .... em Belém, mas ele já ....

c) (ter) Eu não .... aula de ginástica ontem, mas ela ....

d) (poder) Anteontem, nós não .... trabalhar, mas eles ....

B4 6. Verbo irregular *dar*: presente e pretérito perfeito.

Complete.

Exemplo: Eles não me deram...................... atenção. Elas sempre dão....................

a) Você não me .... presente no aniversário. Você nunca ....

b) Ontem ele .... uma aula interessante. Ele sempre ....

c) Eu .... meu endereço para ela. Geralmente, só .... o telefone.

d) Nós .... uma festa no fim do ano passado. Nós sempre ....

B6 7. Pronomes pessoais: *o*, *a*, *os*, *as*, *-lo*, *-la*, *-los*, *-las*

1. Complete o diálogo com *o*, *a*, *os*, *as*.

- Meu Deus, quantos pratos!
- Calma, eu .... lavo num minuto.
- E os talheres?
- Eu .... lavo também.
- E as xícaras?
- Eu .... lavo. Calma!
- E esta toalha?! Está tão suja!
- Eu .... lavo também. Num minuto. Você vai ver.

Atividades

2. Complete as frases.

Exemplo: Levo meus filhos à escola de manhã e depois vou *buscá-los*............ (buscar) ao meio-dia.

a) Comprei o jornal de hoje, mas não tenho tempo para .... (ler).

b) Recebi uma carta da minha mãe ontem. Preciso .... (responder) o mais rápido possível.

c) Este trabalho é muito difícil. Não posso .... (fazer) agora.

d) As portas estão fechadas até o fim do show. Não posso .... (abrir) agora.

e) Oscar, eu vou dar uma festa no dia 13 de maio. Quero .... (convidar).

f) Marina, você está sem carro? Posso .... (levar) para casa.

g) Posso .... (ajudar)? Vocês estão procurando alguma coisa?

8. A senhora/o senhor – você

Em português, quando usar *você*? Quando usar *senhor/senhora*? Não é fácil explicar. Para ajudá-lo(la), vamos dar algumas regras básicas.

1 De maneira geral, *você* indica familiaridade e *o senhor/a senhora* indicam respeito. Assim, usamos *você* quando falamos com uma criança, um jovem ou um amigo. Como forma de respeito, tratamos de *o senhor/a senhora* pessoas mais velhas de qualquer nível social ou pessoas que, por sua profissão ou cargo, precisem ser tratadas com deferência.

2 Quando tratamos alguém por *você*, usamos seu primeiro nome. Por isso, dizemos:
- Marina, você pode me ajudar?
- Roberto, você vai tomar um cafezinho?

Se tratamos alguém por *o senhor/a senhora*, necessariamente usamos, antes do nome, *Dona* ou *Senhor*.
- Dona Marina, a senhora pode me ajudar?
- Seu (senhor) Roberto, o senhor vai tomar um cafezinho?

O que usar, *você* ou *o senhor/a senhora*?

Situação	você	o senhor / a senhora
a) Na rua, um rapaz de 20 anos fala com um homem de 50.	☐	☐
b) No escritório, um rapaz fala com outro rapaz, seu colega.	☐	☐
c) Numa loja, um rapaz de 25 anos fala com uma vendedora de 50.	☐	☐
d) Em casa, uma moça de 20 anos fala com uma empregada de 60.	☐	☐
e) Num consultório, um senhor de 50 anos fala com um médico.	☐	☐
f) Num táxi alguém fala com o motorista de 60 anos.	☐	☐
g) Num restaurante, um cliente de 30 anos fala com um garçom de 60.	☐	☐
h) Num restaurante, um cliente de 30 anos fala com um garçom de 28.	☐	☐

i) Em casa, a empregada de 30 anos fala com a patroa da mesma idade. ☐ ☐

j) No escritório, um chefe de 40 anos fala com sua secretária de 50. ☐ ☐

k) No escritório, uma secretária de 50 anos fala com seu chefe de 40 anos. ☐ ☐

l) Na rua, uma pessoa pede informação à outra da mesma idade. ☐ ☐

C3 9. Ampulheta

Complete a ampulheta com palavras referentes a tempo.

O ano tem 365 dias

em 4 ....estações....

1............ 2............ 3............ 4............

em 12 ....

1............ 2............ 3............

4............ 5............ 6............

7............ 8............

9............ 10............

11............

12............

Um ..mês.. tem 4 ....

e uma .... tem 7 ....:

1............ 2............ 3............

4............ 5............ 6............

7............

Um .... tem 24 .... em 4 períodos:

00.00 – 6.00	6.00 – 12.00	12.00 – 18.00	18.00 – 24.00
madrugada	....	....	....

A vida é breve e a arte, longa

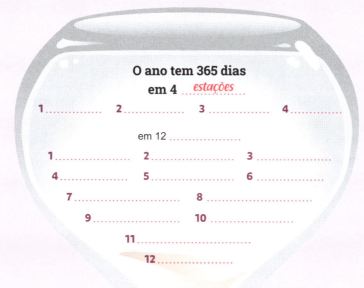

Atividades

C1 10. Pedro Lopez de Termas de Ibirá

Pedro, cem anos, vive com otimismo em Ibirá

Sem a mulher ele não vê televisão e tem bons motivos para acreditar no futuro

Lúcido, otimista, sem depender de ninguém, o contador aposentado Pedro Francisco Lopez completou cem anos recentemente, quando foi homenageado em São José do Rio Preto. Ele mora sozinho, na primeira casa construída em Termas de Ibirá. Cuida da horta-pomar que formou no quintal. Cozinha, lava suas roupas, viaja a passeio ou para fazer compras e prepara suculenta feijoada em fins de semana. É apreciador de uísque, vinho e cerveja.

Pedro Lopez nasceu na Espanha, com 3 anos chegou ao Brasil. Foi o primeiro contador, na época "guarda-livros", do primeiro banco instalado em São José do Rio Preto. Viúvo há 17 anos. Não tem filhos. Mantém-se atualizado ouvindo noticiários transmitidos por emissoras de rádio. Agora, está lendo coleção de livros sobre astronomia. "Me interesso por tudo que ocorre na administração pública, no esporte, na política. Por essa razão tenho base para conversar e argumentar".

Ele próprio não tem explicação para sua lucidez, saúde, raciocínio. "Não envelheci, me sinto jovem". Sua longevidade não se deve à alimentação, pois come feijoada duas vezes por semana. "É o meu prato preferido. Gosto de azeitona, salame, queijo, doces. Não rejeito nem pinga", disse. A cada 15 dias, ele consome uma caixa de cerveja, mas o que prefere é uísque.

Usa a água medicinal das termas para tudo: banhos, cozinha e até para fazer o café. "Elas me curaram de um problema digestivo", afirmou.

Toma ônibus e vai a São José do Rio Preto ou a Catanduva para passear ou fazer compras. Veste-se bem e mantém em seu guarda-roupa muitos ternos e gravatas. "Quando sobra tempo, aperfeiçoo o meu inglês". Não gosta de televisão: "É muito superficial, pouco instrui e também desinforma".

De sua horta-pomar, colhe limão, mamão, mandioca, batata, feijão, milho, verduras e legumes. "A produção é reduzida agora, por estarmos no inverno, não é época de plantio", disse, mostrando as mãos calejadas.

"Casar-me novamente? Com esse salário de aposentado, a mulher passaria fome", diz Pedro Lopez. O parapsicólogo Álvaro Fernandes fez a ele uma proposta: compraria a histórica casa e permitiria que nela permanecesse enquanto vivesse. Pedro Lopez não aceitou: "Talvez eu tenha o mesmo destino do meu tio-avô, espanhol, que faleceu com 139 anos".

1. Localize no texto a passagem que diz que

a) Pedro não quer vender a casa porque acha que pode viver muito mais anos ainda.

b) Pedro é espanhol e chegou criança ao Brasil.

c) Pedro é homem bem informado.

d) Pedro não sabe por que está tão bem aos 100 anos.

e) Pedro vive em sua própria casa e organiza sua própria vida.

2. Certo ou errado? Pedro...

	C	E
a) viveu na Europa durante muitos anos.	☐	☐
b) usa roupas simples.	☐	☐
c) não gosta de televisão.	☐	☐
d) não toma bebidas alcoólicas.	☐	☐
e) só usa a água das termas.	☐	☐
f) tem filhos, mas não mora com eles.	☐	☐
g) interessa-se por muitos assuntos.	☐	☐

11. Adivinhe

49

1. Ouça a gravação e identifique os desenhos que se referem ao texto.

2. Qual dos desenhos traz a resposta?

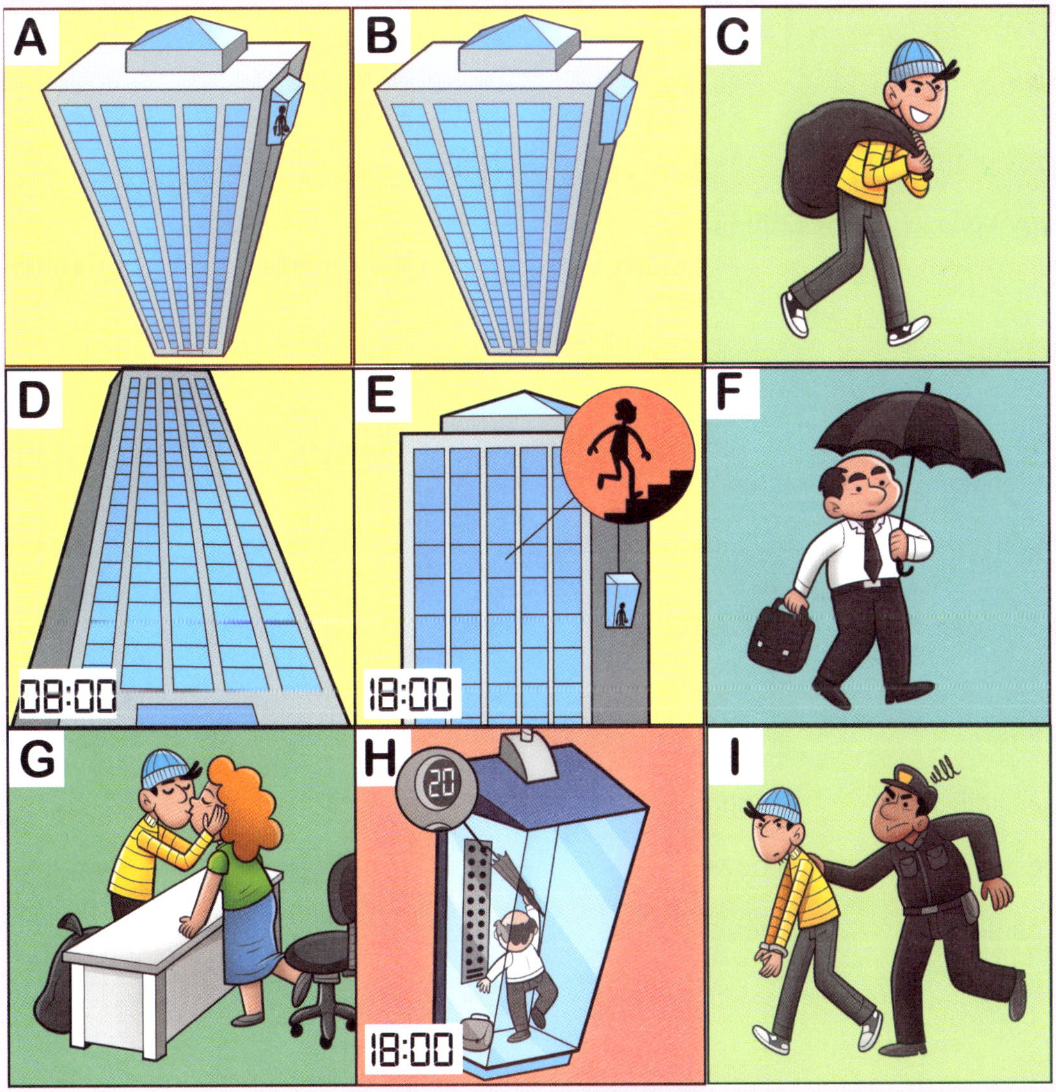

Atividades

12. Dia e noite

Qual é o contrário?

bom	....	barulhento	....	em cima	....
último	....	escuro	....	na frente	....
doce	....	difícil	....	saída	....
atrasado	....	bonito	....	ordem	....
contente	....	responder	....	férias	....
gelado	....	dar	....	dia	....
grande	....	ficar	....	inverno	....
novo	....	abrir	....	tarde	....
baixo	....	perder	....	antes	....
melhor	....	comprar	....	mais	....
barato	....	dentro	....	devagar	....
limpo	....				

13. Verbos e substantivos

Relacione. Há várias possibilidades.

1. fazer	[ ] muito trabalho	....
2. dar	[ ] para casa	....
3. ir	[ ] o telefone	....
4. atender	[ ] tempo	....
5. pôr	[1] almoço	....
6. ter	[ ] aula	....
7. voltar	[ ] ao cinema	....
8. arrumar	[ ] em ordem	....
9. assistir	[1] compras	....
10. estar	[ ] a cozinha	....
11. perder	[ ] televisão	....

Revisão

JOGO DO SAPO

Instruções

Você pode jogar este jogo sozinho em casa ou com os/as colegas em classe.

I – Em casa: um só jogador.

1) Você precisa de uma peça e de um dado .
2) Jogue o dado e responda à questão correspondente ao número que tirou.
3) Verifique as suas respostas imediatamente.
4) Some (+) os números das casas com respostas certas. Subtraia (–) os números das casas com respostas erradas.
5) O jogo termina ao chegar à casa 54.
6) Jogue o jogo várias vezes até conseguir no mínimo 250 pontos.

Como calcular os pontos?

Exemplo:

1ª jogada: casa 6, certo ⟶ + 6

2ª jogada: casa 11, certo ⟶ + 11 = 17

3ª jogada: casa 15, errado ⟶ – 15 = 2

4ª jogada: casa 20, certo ⟶ + 20 = 22

II – Em classe: 2 a 6 jogadores.

1) Cada jogador tem uma peça de cor diferente.
2) O primeiro jogador joga o dado e responde à questão correspondente ao número que tirou.
3) Se a resposta está certa, o jogador coloca sua peça nessa casa.
4) Se a resposta está errada, o jogador não avança.
5) Os outros jogadores fazem o mesmo.
6) Ganha quem chega à META primeiro com o número certo no dado.

O jogo começa na página seguinte

1. Ele... francês.
2. Eu sempre almoço em casa. Amanhã... na cidade.
3. • Você pode ir ao cinema?
• Não, eu não...
Eu vou trabalhar.
• E Sônia?
• Ela também não...
• Ela... estudar.
4. Passe para o feminino.
Meu irmão é holandês.
Este é nosso professor de inglês.
5. Volte para o 3!
6. Eles... franceses? Não, eles são americanos.
7. (ser/falar) Nós... brasileiros e... português.
8. Ele mora... Buenos Aires... Argentina.
9. Eu me chamo Mário e ele... Antônio.
10. Onde estão seus irmãos?... irmãos estão em casa.
11. Que bom! Você pode jogar duas vezes.
12. ... você vai ao dentista? Às duas.
13. ... vocês vão ao Rio? Nas férias de inverno.
14. Mesa para... pessoas? Para duas.
15. Passe para o plural.
Eu não estou livre hoje.
Nós não... hoje.
16. Que azar! Volte 3 casas!
17. (ser/estar) Meu filho... engenheiro e... no Canadá.
18. Pule para o 21!
19. Eu não gosto... Ricardo.
20. ... vamos esperar?
Uns 10 minutos.
21. Vou telefonar para você antes... almoço ou depois... jantar.
22. Ótimo! Avance 3 casas!
23. Leia os números:
1º, 2º, 3º, 1ª, 2ª, 3ª
24. José trabalha muito.
A secretária... também.
25. Silvia vai falar com o diretor. Os filhos... têm problema na escola.
26. Azar seu! Volte para o 20!
27. Eles têm uma vida difícil porque o salário... é muito baixo.
28. As lojas... às 9 horas da manhã.
29. Pule para o 35!
30. Nós... vinho quando... pizza.
31. Conjugue o verbo fazer no presente.
32. Conjugue o verbo querer no presente.
33. (preferir) Eles... morar em São Paulo, mas eu... morar no Rio!
34. (falar) Silêncio! O Presidente está...!
35. Que pena! Volte para o 26!
36. (saber) Eu não... o nome dela, mas o Alfredo...
37. Conjugue o verbo visitar no pretérito perfeito.
38. (receber/responder)
Ontem eu... uma carta, mas ainda não...
39. (vender/comprar) Anteontem eles... o apartamento e... uma casa.
40. Você já abriu a garrafa?
Não, eu ainda não...
41. Qual a diferença? A Sibéria/Saara (frio). A Sibéria é... Saara.
42. Não tenha pressa! Volte para o 40!
43. Qual a diferença? Fiat... Rolls-Royce (caro)
44. Qual a diferença? casa 1/casa 2 (maior). A casa 1 é...
45. Pule para o 50!
46. Onde você vai colocar as...?

47. Onde você vai colocar o...?

48. Onde você vai colocar o...?

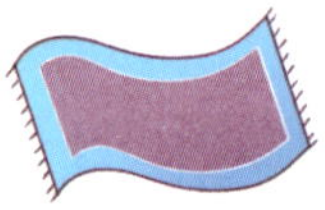

49. Onde você vai colocar a...?

50. Conjugue o verbo ter no pretérito perfeito.
51. Conjugue o verbo fazer no pretérito perfeito.
52. (pode/querer)
Vocês não... ir à festa ontem?... , mas não...
53. (dar/poder/pronome pessoal) Ele me... o jornal ontem, mas até agora eu não... lê...
54. Gostei muito da visita de seus amigos. Foi um prazer conhecê-...

SAIDA
1
2
3
4
5
6
7
8
9
10
11
12
13
14
15
16
17
18
19
20
21
22
23
24
25
26
27
28
29
30
31
32
33
34
35
36
37
38
39
40
41
42
43
44
45
46
47
48
49
50
51
52
53
54
CHEGADA

Fonética

Passo 1

50 a 98

50 **1.1. Ouça o áudio e repita o alfabeto.**

A [a]	B [be]	C [se]	D [de]
E [ɛ]	F ['ɛfi]	G [ʒe]	H [a'ga]
I [i]	J [ʒɑ'ta]	K [ka]	L ['ɛli]
M ['emi]	N ['eni]	O [ɔ]	P [pe]
Q [ke]	R ['ɛhi]	S ['ɛsi]	T [te]
U [u]	V [ve]	W ['dabliw]	X [ʃis]
Y ['ipsilõ]	Z [ze]		

51 **1.2. Ouça o áudio e escreva as letras.**

1.3. Soletre seu nome. Exemplo: Gilberto.

G[ʒe] i[i] l['ɛli] b[be] e[ɛ] r['ɛhi] t[te] o[ɔ]

52 **1.4. Ouça o áudio e escreva os nomes.**

[s] se escreve "s, ss, c, ç"
[z] se escreve "s, z, x"

52 **2. Ouça o áudio e relacione.**

sou, inglesa, sobrenome, observe, ouça, holandesa, conversa, exemplo, profissão, zero, cidade.

[s] **[z]**

[e] se escreve "e, ê"
[ɛ] se escreve "e, é"

54 **3.1. Ouça o áudio e relacione.**

ele, é, seu, ela, ser, até, médico, eles, elas, eu, você, português.

[e] **[ɛ]**

55 **3.2. Ouça o áudio e repita.**

Até logo.
Ela é enfermeira.
Meu nome é Gilberto.
Ele é médico.
Eles são japoneses.

[o] se escreve "o, ô"
[ɔ] se escreve "o, ó"

56 **4. Ouça o áudio e relacione.**

senhor, como, professor, professora, moro, morar, hotel, só, menor, maior.

[o] **[ɔ]**

Acentuação: os acentos gráficos (´ ou ^) indicam a sílaba tônica.

57 **5. Leia os exemplos.**

médico, far**má**cia, pa**í**s, in**glês**, di**á**logo, ban**cá**rio.

58 **Passo 2**

[ɐ̃] se escreve "ã, am, an"
[ɐ̃ῶ] se escreve "ão, am"

1. Ouça o áudio e relacione.
alemão, alemã, amanhã, são, irmã, irmão, também, dançar, moram, falam, trabalham.

[ẽ]	[ẽũ]
....	....
....	....
....	....
....	....
....	....
....	....

[ẽj̃] se escreve "em"

59 **2.1. Ouça o áudio e repita**
em, bem, tem, quem, também, cem, podem

60 **2.2. Leia.**
Tudo bem.
Eles têm tudo.
Eu também.
Quem tem uma caneta, por favor?

[e] se escreve "e, ê"
[ɛ] se escreve "e, é"

61 **3. Leia.**
ele/ela este/esta estes/estas

[h] se escreve "r, rr"
[ɾ] se escreve "r"

62 **4.1. Ouça o áudio e relacione.**
carro, marido, repetir, restaurante, mora, recado, corrigir, motorista, hora, para.

[h]	[ɾ]
....	....
....	....
....	....
....	....
....	....
....	....

63 **4.2. Ouça o áudio e repita.**
Que horas são?
Eles estão atrasados.
O motorista está no carro.
Repita o recado, por favor.

Em português, a sílaba tônica pode ser a última:
- alemã, país, Paris
a penúltima:
- turismo, falam, dinheiro
ou a antepenúltima sílaba:
- médico, sábado, página.

64 **5. Acentuação. Marque a sílaba tônica:**
café, cafezinho, amigo, estudar, futebol, diálogo, médico, necessário.

65 **Passo 3**
[õ] se escreve "om, on"
1.1. Ouça o áudio e repita:
bom, com, onde, complete, garçom, horizonte

66 **1.2. Ouça o áudio e marque as palavras com o som [õ].**
onze, alemão, profissão, bom, pão, conta, Japão

[kwa] se escreve "qua"
[kwẽ] se escreve "quan"
[gwa] se escreve "gua"

67 **2. Ouça o áudio e repita.**
qual, quando, quarta, quanto, água, língua, guarnição, guardanapo

[ʎ] se escreve "lh"

68 **3. Ouça o áudio e repita.**
trabalha, colher, mulher, filho, grelhado, escolha, toalha, bilhete.

69 **Passo 4**
[ʃ] se escreve "ch, x"
[ʒ] se escreve "j, g"
1.1. Ouça o áudio e relacione.
gente, preencha, peixe, xícara, chá, já, relógio, acho, agenda, chega, jantar, longe, junto.

[ʃ]	[ʒ]
....	....
....	....
....	....
....	....
....	....
....	....

70 **1.2. Ouça o áudio e marque as palavras que você ouviu.**

- [ ] chama
- [ ] cheiro
- [ ] agenda
- [ ] lanchonete
- [ ] jogo
- [ ] gente
- [ ] chega
- [ ] hoje
- [ ] peixe
- [ ] cerveja
- [ ] maracujá
- [ ] chuveiro
- [ ] já
- [ ] xícara

[ej] [ja] [iw]

71 **Leia.**

[ej]
cheiro, chuveiro, brasileiro, barbeiro, dinheiro, camareira, enfermeira, engenheira.

[ja]
diária, bancária, rodoviária, necessária, secretária.

[iw]
salário, escritório, empresário, aniversário.

[ɲ] se escreve "nh"

72 **2. Ouça o áudio e repita.**
tenho, senhor, dinheiro, banheiro, senhora, engenheiro, cozinheiro.

73 **Leia.**
Este senhor é cozinheiro.
Esta senhora é engenheira.
Eu não tenho dinheiro.
Eu quero um apartamento com banheiro.

74 **3. Entonação — Ouça o áudio e repita.**
Pare! Devagar! Fale mais alto!
Repita, por favor!

75 **Passo 5**
[ĩ] se escreve "im, in"
1. Ouça o áudio e repita.
mim, sim, jardim, inglês, jardins, língua.

76 **Leia.**
Para mim, ele não disse nem sim nem não.
Eles não entendem bem a língua inglesa.

"al, au" se pronuncia [aw] "el" se pronuncia [ew] [ɛw] etc.
O "l" em final de sílaba se pronuncia como um [u] breve ([w]).

77 **2. Ouça o áudio e repita.**
- qual, calma, principal, jornal, quintal, aula, comercial, almoçar, Paulo.
- aluguel, hotel, papel, meu, Romeu.
- filme, difícil, abriu, abril.
- azul, último, multa, sul.
- lençol, bolsa, sol, estou.

78 **Passo 6**
1. Ouça o áudio e marque o que você ouviu.

☐ tive	☐ teve	☐ prefiro	☐ prefere
☐ estive	☐ esteve	☐ pude	☐ pôde
☐ fiz	☐ fez	☐ fui	☐ foi

O "x" se pronuncia de várias maneiras em português.

79 **2. Ouça o áudio e classifique as palavras de acordo com o som.**
sexta, exemplo, táxi, xícara, próxima, durex, explicação, texto, peixe, sexto, exercício, sexo, examinar, experiência, embaixo, próximo, exigir, bazar.

[s]	[z]	[ʃ]	[ks]
....	....	....	....
....	....	....	....
....	....	....	....
....	....	....	....
....	....	....	....
....	....	....	....

80 **Leia.**
O próximo exercício é fácil.
Chame a faxineira.
Sexta-feira é dia de comer peixe.

81 **Passo 7**
[ɛɾ] [eɾ]
Ouça o áudio e sublinhe as palavras com som [ɛɾ] .

☐ moderno	☐ universidade	☐ receber
☐ certo	☐ observe	☐ quer
☐ concerto	☐ reserva	☐ enfermeira
☐ interno	☐ dizer	☐ caderno
☐ perto	☐ comer	☐ conversa

82 **Passo 8**
[s] [z] [ʃ] [ʒ]
1. Leia as palavras e escreva-as nas colunas correspondentes.
salário, vazio, dicionário, churrasco, julho, lanchonete, cansada, junho, péssima, passagem, acho, janela, fazenda.

[s]	[z]	[ʃ]	[ʒ]
....	....	....	....
....	....	....	....
....	....	....	....
....	....	....	....
....	....	....	....

83 **Leia**
Acho esta passagem simplesmente genial. Na semana passada, passei três dias na fazenda.
[h] [ɾ] [l]

84 **2. Ouça o áudio e marque o som que você ouviu.**

	[h]	[ɾ]	[l]
lado	....	....	....
tirar	....	....	....
barulho	....	....	....
rápido	....	....	....
rotina	....	....	....
vila	....	....	....
armário	....	....	....

ela			
era			
vira			
almoço			
repita			
operário			

85 Leia.

- sobre, abrir, brasileiro
- prédio, gravar, obrigado
- trabalhar, tranquilo
- treze, fraco, cofre
- creme, escritório, livro
- criança, praça, praia

86 Passo 9

[õj̃] se escreve "õe"

[ɐ̃j̃] se escreve "ãe"

1.1. Ouça o áudio e repita.

mãe, pães, mães, alemães, estações, lições, põem, cartões

87 1.2. Marque o som que você ouviu.

	[ɐ̃w̃]	[ɐ̃j̃]	[õj̃]
mãe		x	
mão			
mães			
alemães			
estações			
lições			
verão			
irmãos			
cartões			
pão			
pães			
põe			

88 1.3. Ouça o áudio e repita.

mau/mão, sal/são, tal/tão, capital/capitão, mais/mães, pais/pães.

2. Em português, algumas palavras têm a pronúncia do "a" (e o "i" em "muito") ligeiramente nasalizada por influência de um som nasal ([m, n, nh]) próximo.

Exemplos: cama [kɐ̃mɐ], chama [ʃɐmɐ], manhã [mɐ̃ɲɐ̃], muito [mũj̃tu]

89 Leia.

Chame Ana para jantar.
A sobremesa é banana flambada.
Esta semana só trabalho pela manhã.
Entramos, compramos e pagamos com cartão.

90 Passo 10

1. Ouça o áudio. O "o" nas duas palavras é idêntico?

		sim	não
1. avô	avó		
2. o olho	eu olho		
3. corpo	corpos		
4. sogro	sogra		
5. ovo	novo		
6. ovos	novos		
7. ele pode	ele pôde		
8. eu almoço	o almoço		
9. o jogo	o povo		

91 Leia.

Minha avó não gosta de ovo.
Os olhos do meu avô eram pretos.
Ele não pode convidar os moços para o jogo.
No Brasil, o "e" e o "o" em final de palavras, quando não são acentuados, geralmente se pronunciam [i] e [u].

90 2. Ouça o áudio e repita.

tarde, dele, parentes, eles, sobrinho, filho, tios, casados, tudo, todo.

Leia.

— Que foto horrível!
— Mas que família grande!
— Eu não acho.
— É por isso que sou contra o casamento.
— Que jacaré mais chato!
— Esse papagaio é um leva e traz.

93 Passo 11

[f] e [v]

1. Ouça o áudio e marque o som que você ouviu.

	[f]	[v]		[f]	[v]
fez			talvez		
vez			vai		
velho			vizinho		
filho			fazenda		
fila			vazio		
vila			fechado		
faço			vaso		
viu			aviso		
avenida			voa		
feio			fundo		
feijoada			bife		
vaga			veio		
Volvo			famoso		
café			vida		

fica	....	avião	....

[b] e [v]

94 **2. Ouça o áudio e marque o som que você ouviu.**

	[b] [v]		[b] [v]
beber	....	verde	....
viver	....	bêbado	....
você	....	banho	....
buscar	....	bem	....
vende	....	vem	....
aviso	....	base	....
bater	....	bazar	....
ave	....	bola	....
bule	....	vejo	....
avô	....	boa	....
beijo	....	bloco	....
voa	....	viajar	....
violão	....	voltar	....

95 **Leia.**

Leve as bagagens e avise que o barco está livre. Talvez sirvam com a sobremesa um vinho branco bem gelado.

96 **Passo 12**

1. Ouça o áudio e repita.

- a pronúncia
- ele pronuncia
- ele pronunciou
- a dúvida
- ele duvida
- ele duvidou
- o anúncio
- ele anuncia
- ele anunciou

97 **2. Ouça o áudio e repita.**

mineiro, dinheiro, minha, nenhum.

98 **3. Ouça o áudio e repita.**

- O rato roeu a roupa do rei de Roma.
- Um tigre, dois tigres, três tigres.
- Um prato de trigo para três tigres.
- Num ninho de mafagafos, três mafagafinhos há. Quem o desmafagafizar, bom desmafagafizador será.

Cidades:

- Guaratinguetá
- Itaquaquecetuba
- Araraquara
- Itapetininga
- Paranapiacaba

Apêndice gramatical

Observação
As informações contidas neste apêndice referem-se exclusivamente ao conteúdo das lições 1 a 6 do Novo Avenida Brasil 1.

Conteúdo

1. O artigo

1.1. Artigo definido

o, a, os, as	o livro	a casa	os amigos	as amigas

1.2. Artigo indefinido

um, uma, uns, umas	um dia	uma noite	uns amigos	umas amigas

1.3. Uso do artigo definido

Países têm artigo:
a Itália, o Brasil

Cidades não têm artigo:
Ele está em São Paulo.

Algumas exceções:
países – Ele mora em Portugal
em Israel
em Cuba
cidades – Ele mora no Rio
no Cairo

2. O substantivo

2.1. Masculino – feminino

o filho	a filha
o professor	a professora
o artista	a artista
o dentista	a dentista
o estudante	a estudante
o chefe	a chefe
o colega	a colega

2.2. Substantivos masculinos terminados em a

– o dia – o tapa – o clima
– o mapa – o planeta – o cometa

substantivos terminados em -ema e -oma

– o cinema – o idioma
– o problema – o diploma

substantivos terminados em -á

– o sofá – o maracujá – o chá

3. O pronome

3.1. Pronomes pessoais

Sujeito	Objeto direto	
eu	me	João me viu.
você ele ela	o, a, -lo, -la	João o viu. João quer vê-la.
nós	nos	João nos viu.
vocês eles elas	os, as, -los, -las	João os viu. João quer vê-las.

3.2. Pronomes demonstrativos

este esta estes estas	isto	esse essa esses essas	isso	aquele aquela aqueles aquelas	aquilo
Este livro aqui é meu.	Eu não entendo isto.	Esse livro aí é seu.	Eu não quero isso.	Aquele livro ali/ lá é dele.	Eu não escrevi aquilo

3.3. Pronomes possessivos

pessoais	possessivos	
eu	meu, minha meus, minhas	meu amigo/minha amiga meus amigos/minhas amigas
você	seu, sua seus, suas	seu amigo/sua amiga seus amigos/suas amigas
ele	dele seu, sua, seus, suas	o amigo dele/seu amigo a amiga dele/sua amiga
ela	dela seu, sua, seus, suas	o amigo dela/seu amigo a amiga dela/sua amiga
nós	nosso, nossa nossos, nossas	nosso amigo/nossa amiga nossos amigos/nossas amigas
vocês	seu, sua seus, suas	seu amigo/sua amiga seus amigos/suas amigas
eles	deles seu, sua, seus, suas	o amigo deles/seu amigo a amiga deles/sua amiga
elas	delas seu, sua, seus, suas	o amigo delas/seu amigo a amiga delas/sua amiga

4. O adjetivo
4.1. Masculino e feminino

americano – americana
inteligente – inteligente

alemão – alemã
francês – francesa

agradável – agradável
bom – boa
mau – má

4.2. Comparativo

O apartamento é mais caro (do) que a casa.
menos (do) que
tão quanto
tão como

A casa é maior (do) que o apartamento.
grande – maior
pequeno/a – menor
bom/boa – melhor
mau/má, ruim – pior

5. O verbo
5.1. Conjunção de verbos regulares

	Presente do indicativo	Pretérito perfeito do indicativo	Imperativo	Gerúndio	Infinitivo	Particípio
-ar	falo	falei				
	fala	falou	fale	falando	falar	falado
	falamos	falamos	falemos			
	falam	falaram	falem			
-er	como	comi				
	come	comeu	coma	comendo	comer	comido
	comemos	comemos	comamos			
	comem	comeram	comam			
-ir	parto	parti				
	parte	partiu	parta	partindo	partir	partido
	partimos	partimos	partamos			
	partem	partiram	partam			

5.2. Conjugação dos verbos irregulares

	Presente do indicativo	Pretérito perfeito do indicativo	Imperativo	Gerúndio	Infinitivo	Particípio
abrir	abro	abri				
	abre	abriu	abra	abrindo	abrir	aberto
	abrimos	abrimos	abramos			
	abrem	abriram	abram			
dar	dou	dei				
	dá	deu	dê	dando	dar	dado
	damos	demos	demos			
	dão	deram	deem			
estar	estou	estive				
	está	esteve	esteja	estando	estar	estado
	estamos	estivemos	estejamos			
	estão	estiveram	estejam			
fazer	faço	fiz				
	faz	fez	faça			
	fazemos	fizemos	façamos	fazendo	fazer	feito
	fazem	fizeram	façam			
ir	vou	fui				
	vai	foi	vá	indo	ir	ido
	vamos	fomos	vamos			
	vão	foram	vão			
poder	posso	pude				
	pode	pôde	possa	podendo	poder	podido
	podemos	pudemos	possamos			
	podem	puderam	possam			
preferir	prefiro	preferi				
	prefere	preferiu	prefira			
	preferimos	preferimos	prefiramos	preferindo	preferir	preferido
	preferem	preferiram	prefiram			
querer	quero	quis				
	quer	quis	queira	querendo	querer	querido
	queremos	quisemos	queiramos			
	querem	quiseram	queiram			
ser	sou	fui		sendo	ser	sido
	é	foi	seja			
	somos	fomos	sejamos			
	são	foram	sejam			
ter	tenho	tive				
	tem	teve	tenham	tendo	ter	tido
	temos	tivemos	tenhamos			
	têm	tiveram	tenham			

5.3. Quadro geral do emprego dos tempos verbais.

Presente do indicativo:	Ele sempre trabalha bem.
Presente contínuo do indicativo:	Ele não está trabalhando bem agora.
Pretérito perfeito do indicativo:	Ele trabalhou bem ontem.
Futuro imediato do indicativo:	Ele não vai trabalhar amanhã.
Imperativo:	Por favor, trabalhe! Por favor, não trabalhe!

5.4. *Ser* e *estar*

Ser

Geralmente indica qualidade permanente.		O Brasil é grande.
Outros casos.	a) posse	Este carro é meu.
	b) nacionalidade/origem	Ele é do Brasil.
	c) material	O copo é de cristal.
	d) profissão/cargo	Ele é médico. Ele é diretor do hospital.
	e) tempo (cronológico)	São 7 horas. É verão agora.
	f) expressões impessoais	É melhor assim. É bom pensar. É importante esperar.

Estar

qualidade temporária	Ele é uma pessoa alegre, mas hoje está triste. A casa está limpa. Tudo está em ordem agora. Eu estou em Lisboa (Lisboa é em Portugal).

6. A conjunção

e	Ela trabalha e estuda.
que	Eu acho que é necessário ter férias.
mas	Ela trabalha o dia todo, mas ganha pouco.
porque	Eles estão em greve porque o salário é baixo.
por isso	O salário é baixo, por isso estão em greve.
quando	Eu fico contente quando você telefona.
enquanto	Ela trabalha enquanto ele dorme.
se	Eu não sei se ele pode ajudar.
tão... como/quanto	Ela é tão competente como/quanto ele.
como	Faça como eu (faço).

7. A preposição

7.1. Algumas preposições

lugar	tempo	outros
em cima de	antes de	a
embaixo de	depois de	com
em frente de	durante	contra
atrás de	desde (desde ontem)	de
perto de	desde as duas horas	em
longe de	até (até agora)	para
ao lado de	até as 3 horas	por
dentro de		sem
fora de		sobre
entre		
desde o Rio		
até São Paulo		

7.2. Contrações e combinações

em +	o, a, os, as	→ no, na, nos, nas
	um, uma, uns, umas	→ num, numa, nuns, numas
	este, esta, estes, estas	→ neste, nesta, nestes, nestas
	esse, essa, esses, essas	→ nesse, nessa, nesses, nessas
	aquele, aquela, aqueles, aquelas	→ naquele, naquela, naqueles, naquelas
	ele, ela, eles, elas	→ nele, nela, neles, nelas
de +	o, a, os, as	→ do, da, dos, das
	um, uma, uns, umas	→ dum, duma, duns, dumas
	este, esta, estes, estas	→ deste, desta, destes, destas
	esse, essa, esses, essas	→ desse, dessa, desses, dessas
	ele, ela, eles, elas	→ dele, dela, deles, delas
por +	o, a, os, as	→ pelo, pela, pelos, pelas

8. O advérbio

8.1. Bem – mal

Um bom cantor canta bem.
Um mau cantor canta mal.

8.2. Muito

Eu tenho muitos amigos muito bons.
Eu tenho muitas amigas muito boas.
Esses livros são muito caros.
As revistas também são muito caras.

9. Perguntas e respostas

9.1. Pronomes e advérbios interrogativos

- O que você quer?
- Onde estão as chaves?
- Quem é aquele homem?
- Como você veio?
- Quando você vai ao Rio?
- Por que você não vai à praia?
- Qual blusa você quer, a azul ou a verde?
- Quanto custa este computador?
- Quanto/a açúcar/água você quer?
- Quantos/as alunos/as vieram hoje?

- Nada.
- Na gaveta.
- Roberto, meu irmão.
- De táxi.
- Amanhã.
- Porque tenho que trabalhar.
- A azul.
- Dois mil.
- Só um pouco.
- Quinze.

9.2. Respostas curtas

- Você quer sair?
  - \+ Quero.
  - − Não, não quero.
- Vocês podem esperar?
  - \+ Podemos.
  - − Não, não podemos.

Observação: raramente se usa "sim" na resposta afirmativa.

10. Negação

a) Ele não é meu amigo.
b) Ninguém viu o acidente.
c) Eu não vi ninguém.
Eu não ouvi nada.

Textos gravados

Faixa 1

Novo Avenida Brasil 1
Curso básico de Português para estrangeiros
Livro-texto e Livro de Exercícios

De: Emma Eberlein Oliveira Fernandes Lima – Lutz Rohrmann – Tokiko Ishihara – Cristián González Bergweiler – Samira Abirad Iunes.

© E.P.U. Editora Pedagógica e Universitária Ltda., São Paulo, 2008. Todos os direitos reservados. A reprodução desta obra, no todo ou em parte, por qualquer meio, sem autorização expressa e por escrito da Editora, sujeitará o infrator, nos termos da Lei nº 6.895, de 17/12/1980, à penalidade prevista nos artigos 184 e 186 do Código Penal, a saber: reclusão de um a quatro anos.

Faixa 2

Novo Avenida Brasil 1 – Livro-texto – Lição 1
A1 Como é seu nome?

— Bom dia.
— Bom dia.
— Como é seu nome?
— Meu nome é Charles.

Faixa 3

A2 Como se escreve?

— E como o senhor se chama?
— Eu me chamo Peter Watzlawik.
— Como?
— Peter Watzlawik.
— Como se escreve o seu sobrenome?
— W-A-T-Z-L-A-W-I-K. E a senhora, como se chama?

Faixa 4

A3 O senhor é...?

— O senhor é americano?
— Sou sim. E a senhora? É alemã?
— Não, não sou, sou holandesa.

Faixa 5

Nacionalidade

americano	americana
francês	francesa
alemão	alemã
canadense	canadense
coreano	coreana
chinês	chinesa

Faixa 6

A4 Qual é a sua profissão?

— Qual é a sua profissão?
— Sou jornalista, trabalho no Jornal do Brasil.
— Onde o senhor mora?
— Moro na França, em Paris.

Faixa 7

Profissão

o médico	a médica
o professor	a professora
o jornalista	a jornalista
o cozinheiro	a cozinheira
os arquitetos	as arquitetas
os psicólogos	as psicólogas
o consultor	a consultora
o camelô	a camelô
o microempresário	a microempresária

Faixa 8

D2 No telefone – Ouça a gravação e preencha o bilhete.

— Hotel Bristol, bom dia.
— O senhor Müller está?
— Não. Quer deixar recado?
— Quero sim.
— Como é seu nome, por favor?
— Maria Pedrosa.
— Como?
— Pedrosa!
— Como se escreve?
— P-e-d-r-o-s-a
— Qual é o recado?
— Só que a Maria ligou.

Faixa 9

E1 Números

zero, um, dois, três, quatro, cinco, seis, sete, oito, nove, dez, onze, doze, treze, quatorze, quinze, dezesseis, dezessete, dezoito, dezenove, vinte, vinte e um, vinte e dois, vinte e três, vinte e quatro, trinta, quarenta, cinquenta, sessenta, setenta, oitenta, noventa, cem, cento e um, cento e dois, cento e três

Faixa 10

E2 Praticando os números

1. Ouça a gravação e marque os números.

a) nove, dezenove, três, cinco, dez, seis, um, dezessete, sete, vinte.

b) vinte e três, trinta e dois, quarenta, vinte e seis, trinta e quatro, trinta e oito, vinte e dois, trinta e três, trinta e sete, vinte e oito.

c) cinquenta, sessenta, setenta, cinquenta e um, sessenta e seis, cinquenta e cinco, sessenta e sete, sessenta e nove, cinquenta e quatro.

d) setenta e sete, oitenta e quatro, noventa, setenta e três, oitenta e cinco, setenta e seis, oitenta e oito, setenta e nove, oitenta, setenta e um.

Faixa 11

2. Ouça a gravação e escreva em algarismos.

12, 2, 14, 13, 19, 6, 10, 33, 45, 66, 125, 15, 105, 84, 16, 3.

Faixa 12

Novo Avenida Brasil 1 – Livro-texto – Lição 2

A1 Este é meu colega

— Como vai?
— Vou bem, obrigada. E você?
— Bem, obrigado. Este é o meu colega Carlos.
— Muito prazer.
— Prazer.

— Oi, João, tudo bem?
— Tudo bem.
— Esta é minha irmã.
— Oi.
— Oi.

Faixa 13

A2 Vamos...

— Vou almoçar no “Tropeiro”. Você vai também?
— Vou. Quando?
— Amanhã, ao meio-dia.
— Tudo bem.
— Vamos ao cinema?
— Quando?
— Hoje de noite.
— Hoje, não posso.
— Então vamos na quinta.
— Ótimo.

— Vamos ao jogo de futebol?
— Quando?
— No domingo à tarde.
— Combinado.

— Vamos ao supermercado?
— A que horas?
— Às dez.
— Às dez eu não posso. Vamos às 9.
— Tudo bem.

Faixa 14

A3 Que horas são?

— Que horas são?
— Oito e quinze.
— Já? Estou atrasado!

Faixa 15

A4 A que horas?

— Vamos tomar um cafezinho e conversar um pouco?
— A que horas?
— Às duas e meia mais ou menos, depois da reunião.
— Tudo bem.

Faixa 16

A5 Você pode...?

— Você pode ir ao banco?
— A que horas?
— Às quatro.
— Não posso. Tenho aula de Português das três e meia às quatro e meia.

Faixa 17

C1 Almoço

— Oi, Clarice, como vai?
— Bem. O que você vai fazer agora?
— Vou almoçar, já é meio-dia e meia.
— Eu também vou. Oi, Marina.
— Oi, Clarice. Oi, Beatriz.
— Vamos almoçar, Marina?
— Que pena, não posso. Tenho reunião à uma hora.
— Então, bom trabalho.
— Obrigada. Tchau.
— Tchau.

Faixa 18

C2 Convite para um fim de semana

— Este fim de semana estou livre. Podemos ir à praia sexta-feira de tarde.
— Eu só estou livre no sábado de manhã.
— Então, vamos sair no sábado cedinho, assim chegamos bem cedo também.

Faixa 19

D2 Telefonemas

1. Ouça os três diálogos e indique a sequência.

— Teatro Municipal, bom dia.
— Por favor, quando é o concerto da Maria Bethânia?
— Hoje à noite, às 9 horas.
— Onde posso comprar as entradas?
— No teatro, da 1 às 6.
— Obrigado.

— Alô.
— De onde fala?
— 5548-5808.
— Oi, Mário, aqui é a Débora.
— Oi, Débora, tudo bem?
— Tudo, e você?
— Tudo em ordem.
— Você tem tempo para tomar um cafezinho mais tarde?
— Que pena, não tenho. Eu tenho dentista.
— Dentista hoje? Mas hoje é sábado!
— Eu não tenho tempo durante a semana. Eu vou ao dentista sempre no sábado.

— Você discou 7732-5298. Não posso atender o telefone agora. Vou telefonar para você quando possível. Por favor, deixe seu nome, número de telefone e recado depois do bip.
— Márcia, aqui fala Alberto. Vamos jantar no restaurante Studio 3 amanhã? A mesa já está reservada. Vou estar lá às 8 horas. Por favor, telefone para mim para confirmar. Um beijo.

Faixa 20

Novo Avenida Brasil 1- Livro-texto – Lição 3

A1 Mesa para quantas pessoas?

— Mesa para quantas pessoas?

— Para duas. Quanto tempo vamos esperar?
— Uns 20 minutos mais ou menos.
— Tudo bem.

Faixa 21

A2 Vamos tomar um aperitivo?

— Vamos tomar um aperitivo antes do almoço?
— Vamos.
— Você gosta de caipirinha?
— Gosto.
— Garçom, duas caipirinhas de pinga, por favor!

— Sua mesa está livre agora, senhor.
— Obrigado.

Faixa 22

A3 O que a senhora vai pedir?

— O que a senhora vai pedir?
— Eu quero um filé grelhado com legumes.
— Malpassado ou bem-passado?
— Ao ponto.
— E o senhor?
— Eu quero um espeto misto.
— E o que mais?
— Salada mista, farofa e batata frita para dois.
— E para beber?
— Uma cerveja bem gelada.
— Para mim, uma água mineral com gás.

Faixa 23

Cardápio

Entradas	Salada de palmito e ervilhas Salada mista (alface e tomate) Canja, sopa de tomate, creme de aspargos
Carnes	Filé grelhado com legumes Bife a cavalo com arroz Lombo assado Espeto misto
Aves	Frango a passarinho (alho e óleo) Frango ensopado com batatas
Peixes	Peixe à brasileira Filé de peixe frito com molho de camarão
Massas	Spaghetti ao sugo Tagliarini à bolonhesa Lasanha gratinada
Guarnições	Arroz, batata frita, farofa Legumes (brócolis, cenoura, vagem, couve-flor)
Sobremesas	Pudim de caramelo Sorvetes Frutas da estação
Bebidas	Cervejas, refrigerantes, água mineral Vinhos nacionais e estrangeiros (brancos e tintos)

Serviço não incluído

Faixa 24

A4 Na lanchonete

— Você está com fome?
— Não. Mas estou com sede.
— O que você vai pedir?
— Um suco de laranja bem grande.
— Você não quer um sanduíche?
— Não, sanduíche não. Só suco de laranja.
— Garçom, um suco de laranja grande, um suco de maracujá e um bauru.

Faixa 25

A5 Queremos convidar vocês...

— Queremos convidar você e seu marido para um almoço tipicamente brasileiro no domingo.
— Que bom! Como vai ser?
— Primeiro, um aperitivo, uma caipirinha. Depois, o almoço: uma salada bem gostosa, arroz, feijão, pernil e farofa. Frutas e doces na sobremesa. E um bom cafezinho. Vocês vão gostar.
— A que horas vai ser?
— Ao meio-dia.
— Combinado.

Faixa 26

D1 Carne e peixe

Você vai ouvir dois diálogos. Depois de ouvi-los, marque com um **X** as respostas certas.

— Garçom!
— Pois não?
— Meu churrasco está muito malpassado. Eu não gosto de churrasco malpassado! Eu quero ao ponto.
— Não tem problema. Vou falar com o cozinheiro.
— Obrigado.

— Meu peixe está ótimo, e o seu?
— Muito gostoso! Eu gosto de comer aqui. Este restaurante é ótimo!
— É ótimo mesmo. Aqui tudo é gostoso.
— Outro dia eu experimentei...

Faixa 27

Novo Avenida Brasil 1 – Livro-texto – Lição 4

A1 Quero fazer uma reserva

Ouça o diálogo e preencha a reserva.

— Hotel Deville Colonial, às suas ordens.
— Quero fazer uma reserva. Um apartamento duplo.
— Para quando?
— Para dia 10 de novembro.
— Quantos dias o senhor vai ficar?
— 3 dias.
— Seu nome, por favor?
— Richard Bates.
— Está reservado, sr. Bates. Um apartamento para duas pessoas. Entrada no dia 10 de novembro e saída no dia 13 de novembro.
— Certo.

Faixa 28

A2 Prefiro um apartamento de fundo

— Pois não?
— Boa tarde. Por favor, quero um apartamento simples.
— Com ou sem internet?

— Com internet. De quanto é a diária?
— Aqui estão nossos preços. Os apartamentos de frente são mais caros.
— Prefiro um apartamento de fundo. Não gosto do barulho da rua.
— Muito bem. Um documento, por favor.
— Meu passaporte.
— Obrigado. João, esta senhora vai ficar no 315. Leve a bagagem dela para cima.

Faixa 29

A3 O chuveiro não está funcionando

— Pois não?
— Queria mudar de quarto.
— Algum problema?
— É que o chuveiro não está funcionando e o quarto tem cheiro de mofo.
— Não tem problema. A senhora pode mudar para o 308.

Faixa 30

A4 É perto?

— Eu gostaria de conhecer a cidade. O que o senhor pode me recomendar?
— Por que a senhora não vai visitar o Museu Paranaense?
— A que horas abre?
— Acho que às 9.
— É perto?
— Não muito. A senhora precisa tomar um táxi ou um ônibus.
— Mas eu quero andar a pé. Acho que não vou visitar o museu hoje. Talvez amanhã.
— Então, por que a senhora não vai ao Passeio Público? Fica perto daqui.

Faixa 31

A5 Siga em frente...

1. Ouça os diálogos e organize outros diálogos semelhantes.

— Uma informação, por favor.
— Pois não.
— Onde é a Rodoviária?
— Siga em frente até o primeiro sinal. Depois vire à direita. A Rodoviária fica à esquerda.

— Pois não?
— Por favor, onde é o correio?
— Não sei. Eu não sou daqui.
— Obrigado.

Faixa 32

D2 Onde você está?

Examine a planta na página 26 e depois ouça a gravação. Onde Felipe vai encontrar Alcides? Aponte o local no mapa.

— Alô.
— De onde fala?
— 5563-6260.
— O Felipe está?
— É ele mesmo.
— Felipe, aqui é o Alcides. Eu estou indo para Vitória, mas o ônibus vai ficar uma ou duas horas aqui parado no bairro. Problema mecânico, imagine! Você não quer tomar uma cervejinha comigo?
— Que surpresa, Alcides. Por que você não vem a nossa casa? O pessoal vai ficar muito contente.
— Eu gostaria, Felipe, mas não vai dar tempo. De carro, você chega aqui num instante.
— Claro, claro. Eu vou, agora mesmo. Onde você está?
— Eu estou.
— Fale mais alto, Alcides. O telefone não está funcionando muito bem. Onde você está?
— Estou num barzinho, se chama Aurora, mas não sei o nome da rua. Não há nenhuma placa aqui perto, mas é fácil explicar. Preste atenção: saindo de sua casa, você pega a rua Euclides Pacheco e segue reto até a rua Tuiuti.
— Certo.
— Ótimo. Aí, você vira à direita e segue 4 quarteirões.
— Quantos quarteirões?
— 4. Na esquina onde há uma banca de jornais, você vira à direita.
— À direita?
— É, à direita. Depois, você segue até a segunda esquina. Há um posto de gasolina nessa esquina e um telefone público no posto. Eu espero você aqui, ao lado do telefone, entendeu?
— Entendi, Alcides. Eu sei onde você está. Em 10 minutos estou aí.

Faixa 33

Novo Avenida Brasil 1 – Livro-texto – Lição 5

A1 Estou procurando uma casa para alugar

— Bom dia. Posso ajudá-la?
— Vi o *site* e gostei de algumas casas. Estou procurando uma para alugar neste bairro.
— De quantos quartos?
— Dois ou três e, se possível, com jardim ou quintal pequeno.
— Aqui não vai ser fácil. Tem outra região de preferência?
— Nos bairros vizinhos, de preferência zona oeste.
— Estas são as fichas dos imóveis para alugar... São novas e não estão ainda no nosso *site* da internet.

— Então, já encontrou alguma coisa?
— Encontrei uma casa que parece interessante.
— Quer visitar?

Faixa 34

A2 Esta sala é um pouco escura

— Esta é a chave do portão. E esta menor é a da porta da sala.
— É a única entrada?
— É sim, senhora. Mas a divisão interna é muito bem-feita.
— Esta sala é um pouco escura.
Vamos visitar a cozinha. A senhora vai gostar.
— Não, primeiro quero ver os outros cômodos e, por último, a cozinha.
— Esta é a suíte principal com banheiro e roupeiro.
— Mas ela é mais escura do que a sala. Não bate sol!
— Os quartos do outro lado são mais ensolarados.
— Esta casa é muito úmida. Não gostei nem um pouco. É muito diferente do anúncio.
— Mas a senhora ainda não viu o quintal...

Faixa 35

A3 Você já resolveu seu problema de apartamento?

— Você já resolveu seu problema de apartamento?
— Ainda não.
— Você não procurou naquele prédio perto do correio, na rua Fontana?

— Procurei sim e até visitei um no 2º andar, mas não deu certo.
— Por que não? Não é bom? Muitos vizinhos?
— O apartamento é bom. São dois por andar com armários embutidos e área de serviço.
— Então, qual é o problema? O aluguel?
— Não é só o aluguel. É a rua também.
— É, a rua Fontana é muito comercial.
— E o pior, o bar-restaurante no outro lado da rua!

Faixa 36

D1 Gostaria de colocar um anúncio no jornal...

1. Ouça a gravação e escolha a alternativa correta.

— Seção de classificados da Gazeta da Manhã, bom dia.
— Bom dia. Eu tenho um apartamento para alugar e gostaria de colocar um anúncio no jornal.
— Pois não. Qual o endereço do imóvel e o bairro?
— O apartamento fica na rua Camões, número 525, Jardim Esplanada.
— Descreva o apartamento, por favor.
— Tem 2 quartos, uma sala grande, cozinha, banheiro e área de serviço.
— Repetindo: 2 quartos, 1 sala, cozinha, banheiro e área de serviço. Correto?
— Certo.
— É mobiliado?
— Não, mas tem armários embutidos no quarto e na cozinha. É acarpetado e tem opção de telefone.
— Tem garagem?
— Sim, com vaga para 1 ou 2 carros.
— Qual é o aluguel e telefone para contato?
— É a combinar com o interessado. Depende das opções. O telefone é 2262-5164.
— Muito bem. O seu número de inscrição é 15. O senhor tem até 6ª feira para passar no Jornal, preencher uma ficha e pagar a taxa. O anúncio sai na 2ª feira.

Faixa 37

Novo Avenida Brasil 1 – Livro-texto – Lição 6

A1 O dia a dia de duas brasileiras

Dona Cecília, 38 anos, professora e dona de casa, 4 filhos.

Sou professora, e mãe de 4 filhos. Três vezes por semana, dou aulas numa escola particular. Como nossa casa é grande e dá muito trabalho, tenho uma empregada e uma faxineira. As crianças almoçam em casa. Durante a semana, à tarde, elas têm aulas de inglês, de teclado, de judô e de ballet. Eu as levo para lá e para cá o tempo todo. E depois, vou buscá-las. É terrível, mas o que posso fazer? À noite, geralmente, ficamos em casa, mas, de vez em quando, às sextas-feiras, meu marido e eu saímos. Às vezes, quando o tempo está bom, vamos à praia no fim de semana. Temos uma casa lá.

Faixa 38

Dona Conceição, 43 anos, empregada doméstica, 4 filhos adolescentes.

Moro na periferia, longe do meu emprego. Levanto muito cedo, dou café da manhã para minha família e vou trabalhar. Tomo dois ônibus. Chego às 8 horas na casa da minha patroa. Limpo a casa, lavo e passo roupa, faço o almoço e arrumo a cozinha. Às 4 horas vou para casa. Mais dois ônibus! Em casa eu tenho muito serviço, mas o que posso fazer? Meus filhos, graças a Deus, já estão trabalhando: dois na fábrica; os outros, num supermercado. O Zeca vai à escola à noite. Ele diz que gosta de estudar.

Faixa 39

Dona Cecília conversando com o marido:

— Puxa! Ainda estou cansada hoje!
— Verdade? Cansada de quê? Ontem você passeou o dia inteiro com as crianças.
— Por isso mesmo. Fomos à piscina de manhã, depois almoçamos. À tarde eles quiseram ir ao cinema. Fomos. E fizemos compras. Depois ainda estivemos na casa da Mônica.
— Não diga. Tudo isso?
— Mas foi bom. Nossa! Como estou cansada!

Faixa 40

Dona Conceição falando com uma amiga:

— A senhora não foi trabalhar ontem, Dona Conceição?
— Fui trabalhar sim, mas ontem foi um dia diferente. Dona Cecília saiu com as crianças logo de manhã, por isso tive menos trabalho. Não fiz o almoço e fui para casa mais cedo. Foi muito bom! Finalmente, pude pôr minha casa em ordem.

Faixa 41

D1 Ouça a música "Sinal fechado" de Paulinho da Viola. A letra da música é um diálogo entre duas pessoas.

1. Ouça a música e examine as fotos. Em que situação as duas pessoas se encontram?

Primeira parte de *Sinal Fechado*

Composição: Paulinho da Viola

Olá, como vai?
Eu vou indo e você, tudo bem?
Tudo bem eu vou indo correndo
Pegar meu lugar no futuro, e você?
Tudo bem, eu vou indo em busca
De um sonho tranquilo, quem sabe?...
Quanto tempo...
Pois é... quanto tempo...

Me perdoe a pressa
É a alma dos nossos negócios
Pô, não tem de quê
Eu também só ando a cem.
Quando é que você telefona?
Precisamos nos ver por aí
Pra semana, prometo talvez nos vejamos
Quem sabe?

Quanto tempo... pois é... (pois é... quanto tempo...)

Faixa 42

Novo Avenida Brasil 1 – Exercícios – Lição 1

D2 Jornal da Tarde

— 13 horas na rádio Pirata. E agora nossa entrevista do dia. Hoje estamos falando com o doutor John Clark da empresa Safári Ecológico Mundial. Doutor Clark...
— Pode me chamar de John.
— John. Você pode responder a algumas perguntas para nossos ouvintes?
— Claro.
— Você é americano?
— Não, não. Sou inglês.

— Você mora onde na Inglaterra?
— Olha, para dizer a verdade, eu pouco morei na Inglaterra. Nasci lá, mas fui criado no Brasil. Fiz faculdade nos Estados Unidos e agora moro no Kênia, na África.
— O que você é?
— Sou professor universitário, mas não trabalho mais na Universidade.
— O que você faz?
— Eu organizo safáris para turistas, no Kênia.
— E o que você está fazendo no Brasil no momento?
— Olha, nós somos especialistas em turismo ecológico e queremos, junto com algumas empresas brasileiras, organizar um programa de turismo ecológico no Brasil.
— E você acha que tem um mercado para isso?
— Nós temos certeza.
— Mas você não tem medo que esse tipo de turismo vá agravar ainda mais os problemas ambientais do nosso país?

Faixa 43

E Números

12 – 2 – 13 – 30 – 43 – 16 – 60
11 – 70 – 76 – 67 – 14 – 40 – 50
5 – 86 – 17 – 25 – 19 – 90 – 100

Faixa 44

Novo Avenida Brasil 1 – Exercícios – Lição 2

D2 Posso falar com o Carlos, por favor?

— Alô?
— De onde fala?
— 2246-6362.
— Posso falar com o Carlos, por favor?
— É ele mesmo.
— Oi, Carlos. É o Bruno.
— Fala, Bruno.
— Amanhã, é o aniversário da Paula. Depois do trabalho, vamos jantar no Zequinha. Você quer ir?
— Quero sim. Qual é mesmo o nome do restaurante?
— Restaurante do Zequinha, na rua Pinheiros, entre oito e oito e meia.
— Tudo bem, mas só vou chegar às 9 horas. Antes, não posso.

Faixa 45

Novo Avenida Brasil 1 – Exercícios – Lição 3

D1 Informações sobre o Brasil

— O Brasil é grande?
— É. É muito grande. É o maior país da América do Sul. É enorme, quase um continente. Tem 8,5 milhões de quilômetros quadrados, com paisagens diferentes, climas diferentes... Há rios, montanhas, praias, florestas, cidades muito grandes, vilas bem pequenas...
— E a população? Como é a população?
— A população brasileira é uma grande mistura de raças. Há brasileiros brancos, negros, índios, descendentes de imigrantes da Europa, do Japão... São, mais ou menos, 184 milhões de habitantes.
— E a população é bem distribuída?
— Não, não é. A Região Norte, por exemplo, onde temos a floresta Amazônica, ocupa 46% do território brasileiro. 46%! Quase metade do país! Mas a Região Norte é pouco povoada. É uma região quase vazia. Nas regiões Sudeste e Sul, a situação é diferente. Há as populações das cidades grandes: São Paulo, Rio, Belo Horizonte, Porto Alegre...
— E a economia?
— Bem... A economia?... A produção do café, nos séculos XIX e XX, mudou a Região Sudeste. Muito dinheiro, gente muito rica, investidores... O dinheiro do café permitiu a criação da indústria. Mais tarde, nos anos 60, 70... o governo estimulou a industrialização das outras regiões. O turismo, por outro lado, é uma das atividades econômicas mais importantes da região Nordeste, com grandes investimentos nacionais e estrangeiros. Também temos petróleo, mas agora, o grande negócio é a produção de etanol a partir da cana-de-açúcar. Plantamos cana-de-açúcar em grandes áreas do Brasil. A gente viaja pelo país e só vê plantações de cana. Só cana, quilômetros e quilômetros de cana.

Faixa 46

Novo Avenida Brasil 1 – Exercícios – Lição 4

D1 Rádio Eldorado

Eldorado FM com Canta Brasil, um oferecimento Hotel Finlândia. Se você é daqueles que não gostam do carnaval, passe alguns dias longe do barulho e da confusão. O Hotel Finlândia lhe oferece tranquilidade, ar puro e muita diversão: passeios a cavalo, banhos em piscina natural com cachoeira, sauna e a belíssima paisagem das montanhas. Temos um delicioso restaurante com serviço à la carte.
Você pode escolher entre pitorescos chalés e confortáveis apartamentos. A diária inclui café da manhã e duas refeições.
Para fazer reservas, ligue para 5555-3636 em São Paulo ou 2222-3535 no Rio.
Hotel Finlândia, Penedo: sua nova opção para o carnaval.
Ouça agora Djavan e Caetano...

Faixa 47

Novo Avenida Brasil 1 – Exercícios – Lição 5

D2 1. Observe o desenho da casa e ouça o texto.

Esta é a casa de Júlia. Júlia mora aqui há 20 anos. Ela gosta muito da casa e, por isso, não quer vendê-la. A casa é pequena, não tem espaço para receber amigos, nem para o lazer da família. Júlia quer reformar a casa. Ela já tem um projeto.
Júlia vai construir uma sala grande para as atividades de lazer da família. Ela vai construir essa sala à esquerda da casa, perto da porta de entrada. Vai ser uma sala independente, com uma porta e duas janelas. A sala vai ser mais baixa do que a casa.
Na lateral da casa, estão as janelas dos quartos. São duas janelas pequenas, por isso os quartos são escuros e frios. Júlia vai aumentar as janelas. Ela quer janelas grandes e bonitas.
O jardim da casa de Júlia é grande. Júlia quer construir, também, uma churrasqueira nos fundos da casa, perto da árvore.
Vai ser legal!

Faixa 48

13 Bobagem?

Você vai ouvir duas vezes o que D. Ester diz. Na primeira vez, anote apenas os temas que ela aborda. Na segunda vez, anote os detalhes de cada tema. No final, reproduza oralmente o que D. Ester diz, com o maior número de detalhes, seguindo suas anotações.

Não sei não, mas acho que fizemos uma bobagem, uma grande bobagem.
Durante 20 anos, moramos numa casa pequena com um jardim pequeno, numa rua agradável, vizinhos bons, perto de tudo. De tudo! Da escola das crianças, do meu escritório, do consultório do meu marido... Padarias em cada esquina, um belo *shopping center* na avenida, tudo perto.
Como gostamos de espaço, compramos uma casa num condomínio, a 40 km do centro da cidade. A casa é muito boa, muito bonita, três vezes maior do que a outra. O jardim é grande, com árvores, muitas flores... Mas não estou contente. Nossa casa de agora é confortável, linda, mas é longe de tudo, longe da escola, das lojas, do meu escritório, do consultório...
Levanto às 5 horas da manhã, saímos correndo de casa. Voltamos, todos, só à noite, só para jantar e dormir. Dormimos logo, porque levantamos muito cedo, às 5 da manhã. E no dia seguinte é a mesma coisa. Aproveitamos a casa só no fim de semana. Fazemos churrasco, convidamos amigos... Mas lá vem outra vez a segunda-feira. E aí começa tudo de novo. A mesma maratona.

Faixa 49
Novo Avenida Brasil 1 – Exercícios – Lição 6
D2 Adivinhe
Um homem mora no último andar de um edifício. O edifício tem 20 andares. Toda manhã ele toma o elevador e desce até a garagem. À noite, quando volta, ele entra na garagem, estaciona seu carro e toma o elevador. Mas ele nunca vai direto até lá em cima. Ele sobe 15 andares de elevador e depois mais cinco andares pela escada. Mas ontem à noite choveu. Por isso, ele tomou o elevador diretamente até seu apartamento, no último andar.
Você sabe por quê?

Faixa 50
Fonética – Passo 1
1.1. Ouça o áudio e repita o alfabeto.
A, B, C, D, E, F, G, H, I, J, K, L, M, N, O, P, Q, R, S, T, U, V, W, X, Y, Z

Faixa 51
1.2. Ouça o áudio e escreva as letras.
g, c, r, h, s, j, g, z, d, m, x, n, y, l, u, q, w, t, a, k

Faixa 52
1.4. Ouça o áudio e escreva os nomes.
Charles, Amélia, Maria, Novo Avenida Brasil.

Faixa 53
2. Ouça o áudio e relacione.
sou, inglesa, sobrenome, observe, ouça, holandesa, conversa, exemplo, profissão, zero, cidade.

Faixa 54
3.1. Ouça o áudio e relacione.
ele, é, seu, ela, ser, até, médico, eles, elas, eu, você, português.

Faixa 55
3.2. Ouça o áudio e repita.

Até logo.	Ele é médico.
Ela é enfermeira.	Eles são japoneses.
Meu nome é Gilberto.	

Faixa 56
4. Ouça o áudio e relacione.
senhor, como, professor, professora, moro, morar, hotel, só, menor, maior.

Faixa 57
5. Leia os exemplos.
médico, farmácia, país, inglês, diálogo, bancário.

Faixa 58
Passo 2
1. Ouça o áudio e relacione.
alemão, alemã, amanhã, são, irmã, irmão, também, dançar, moram, falam, trabalham.

Faixa 59
2.1. Ouça o áudio e repita.
em, bem, tem, quem, também, cem, podem.

Faixa 60
2.2. Leia.
- Tudo bem.
- Eles têm tudo.
- Eu também.
- Quem tem uma caneta, por favor?

Faixa 61
3. Leia.
ele/ela
este/esta
estes/estas

Faixa 62
4.1. Ouça o áudio e relacione.
carro, marido, repetir, restaurante, mora, recado, corrigir, motorista, hora, para.

Faixa 63
4.2. Ouça o áudio e repita.
Que horas são?
Eles estão atrasados.
O motorista está no carro.
Repita o recado, por favor.

Faixa 64
5. Acentuação – Marque a sílaba tônica.
café, cafezinho, amigo, estudar, futebol, diálogo, médico, necessário.

Faixa 65
Passo 3
1.1. Ouça o áudio e repita.
bom, com, onde, complete, garçom, horizonte.

Faixa 66
1.2. Ouça o áudio e marque as palavras com o som [õ]
onze, alemão, profissão, bom, pão, conta, Japão.

Faixa 67
2. Ouça o áudio e repita.
qual, quando, quarta, quanto, água, língua, guarnição, guardanapo.

Faixa 68
3. Ouça o áudio e repita.
trabalha, colher, mulher, filho, grelhado, escolha, toalha, bilhete.

Faixa 69
Passo 4
1.1. Ouça o áudio e relacione.
gente, preencha, peixe, xícara, chá, já, relógio, acho, agenda, chega, jantar, longe, junto.

Faixa 70
1.2. Ouça o áudio e marque as palavras que você ouviu.
chama, agenda, jogo, gente, peixe, cerveja, xícara.

Faixa 71
Leia.
[ej] cheiro, chuveiro, brasileiro, barbeiro, dinheiro, camareira, enfermeira, engenheira.
[ja] diária, bancária, rodoviária, necessária, secretária.
[iw] salário, escritório, empresário, aniversário.

Faixa 72
2. Ouça o áudio e repita.
tenho, senhor, dinheiro, banheiro, senhora, engenheiro, cozinheiro.

Faixa 73
Leia.
Este senhor é cozinheiro.
Esta senhora é engenheira.
Eu não tenho dinheiro.
Eu quero um apartamento com banheiro.

Faixa 74
3. Entonação – Ouça o áudio e repita.
Pare!
Devagar!
Fale mais alto!
Repita, por favor!

Faixa 75
Passo 5
1. Ouça o áudio e repita.
mim, sim, jardim, inglês, jardins, língua.

Faixa 76
Leia.
Para mim, ele não disse nem sim nem não.
Eles não entendem bem a língua inglesa.

Faixa 77
2. Ouça o áudio e repita.
— qual, calma, principal, jornal, quintal, aula, comercial, almoçar, Paulo.
— aluguel, hotel, papel, meu, Romeu.
— filme, difícil, abriu, abril.
— azul, último, multa, sul.
— lençol, bolsa, sol, estou.

Faixa 78
Passo 6
1. Ouça o áudio e marque o que você ouviu.
tive / prefere / esteve / pôde / fez / foi

Faixa 79
2. Ouça o áudio e classifique as palavras de acordo com o som.
sexta, exemplo, táxi, xícara, próxima, durex, explicação, texto, peixe, sexto, exercício, sexo, examinar, experiência, embaixo, próximo, exigir, bazar.

Faixa 80
Leia.
O próximo exercício é fácil.
Chame a faxineira.
Sexta-feira é dia de comer peixe.

Faixa 81
Passo 7
Ouça o áudio e sublinhe as palavras com som [ɛɾ]
moderno, certo, concerto, interno, perto, universidade, observe, reserva, dizer, comer, receber, quer, enfermeira, caderno, conversa.

Faixa 82
Passo 8
1. Leia as palavras e escreva-as nas colunas correspondentes.
salário, vazio, dicionário, churrasco, julho, lanchonete, cansada, junho, péssima, passagem, acho, janela, fazenda.

Faixa 83
Leia.
Acho esta passagem simplesmente genial.
Na semana passada, passei três dias na fazenda.

Faixa 84
2. Ouça o áudio e marque o som que você ouviu.
lado, tirar, barulho, rápido, rotina, vila, armário, ela, era, vira, almoço, repita, operário.

Faixa 85
Leia
— sobre, abrir, brasileiro
— prédio, gravar, obrigado
— trabalhar, tranquilo
— treze, fraco, cofre
— creme, escritório, livro
— criança, praça, praia

Faixa 86
Passo 9
1.1. Ouça o áudio e repita.
mãe, pães, mães, alemães, estações, lições, põem, cartões.

Faixa 87
1.2. Marque o som que você ouviu.
mãe, mão, mães, alemães, estações, lições, verão, irmãos, cartões, pão, pães, põe.

Faixa 88
1.3. Ouça o áudio e repita.
mau – mão / sal – são / tal – tão / capital – capitão / mais – mães / pais – pães

Faixa 89
Leia.
Chame Ana para jantar.

A sobremesa é banana flambada.
Esta semana só trabalho pela manhã.
Entramos, compramos e pagamos com cartão.

Faixa 90
Passo 10
1. Ouça o áudio. O "o" nas duas palavras é idêntico?
1. avô – avó / 2. o olho – eu olho / 3. corpo – corpos / 4. sogro – sogra / 5. ovo – novo / 6. ovos – novos / 7. ele pode – ele pôde / 8. eu almoço – o almoço / 9. o jogo – o povo.

Faixa 91
Leia.
Minha avó não gosta de ovo.
Os olhos do meu avô eram pretos.
Ele não pode convidar os moços para o jogo.

Faixa 92
2. Ouça o áudio e repita.
tarde, dele, parentes, eles, sobrinho, filho, tios, casados, tudo, todo.

Leia.
— Que foto horrível!
— Mas que família grande!
— Eu não acho.
— É por isso que sou contra o casamento.
— Que jacaré mais chato!
— Esse papagaio é um leva e traz.

Faixa 93
Passo 11
1. Ouça o áudio e marque o som que você ouviu.
fez, vez, velho, filho, fila, vila, faço, viu, avenida, feio, feijoada, vaga, Volvo, café, fica, talvez, vai, vizinho, fazenda, vazio, fechado, vaso, aviso, voa, fundo, bife, veio, famoso, vida, avião.

Faixa 94
2. Ouça o áudio e marque o som que você ouviu.
beber, viver, você, buscar, vende, aviso, bater, ave, verde, bêbado, banho, bem, vem, base, bazar, bola, bule, avô, beijo, voa, violão, vejo, boa, bloco, viajar, voltar.

Faixa 95
Leia.
Leve as bagagens e avise que o barco está livre.
Talvez sirvam com a sobremesa um vinho branco bem gelado.

Faixa 96
Passo 12
1. Ouça o áudio e repita.
a pronúncia – ele pronuncia – ele pronunciou.
a dúvida – ele duvida – ele duvidou.
o anúncio – ele anuncia – ele anunciou.

Faixa 97
2. Ouça o áudio e repita.
mineiro, dinheiro, minha, nenhum.

Faixa 98
3. Ouça o áudio e repita.
- O rato roeu a roupa do rei de Roma.
- Um tigre, dois tigres, três tigres.
- Um prato de trigo para três tigres.
- Num ninho de mafagafos, três mafagafinhos há.

Quem o desmafagafizar, bom desmafagafizador será.

Cidades:
Guaratinguetá
Itaquaquecetuba
Araraquara
Itapetininga
Paranapiacaba

Gravação, Mixagem e Masterização
MCM Light Studios, Produções e Eventos

Produção
Daniel Maia

Direção
Emma Eberlein de Oliveira F. Lima

Assistente de Produção
Eliene de Jesus Bizerra

Locutores
Adriana Oliveira
Luciana Paes de Barros
Marcelo Cardoso Schimenes
Osmar Guerra Júnior

Soluções

Livro-Texto

Lição 1

B1 Respostas

a) Eles são estudantes.
b) Ela é secretária.
c) Eu sou jornalista.
d) Não, não somos. Somos médicos.
e) Não, não somos. Somos italianos.
f) Eu sou alemão/alemã.
g) Ela é suíça.
h) Elas são professoras.

B2 Respostas

se chama/Ela mora/Ela trabalha/Ela fala; se chamam/Eles moram/Eles trabalham/Eles falam

B3 Respostas

Ele mora no Japão.
Elas moram em Roma, na Itália.
Ela trabalha no hospital.
Eu moro...
Eu trabalho...

C2 Respostas

a) Complete: é, trabalha, fala, trabalha, é, fala, são, trabalham, moram.
b) Responda.
c) Faça a pergunta.

- Como você se chama?
- Qual é a sua profissão?
- Você é (nacionalidade)?
- Onde você mora?

d) Relacione: O artista – o filme/ o médico – o hospital/ o professor – a escola/ o jornalista – o jornal/ o motorista – o carro/ o bancário – o Banco do Brasil/ o comerci-ante – o *shopping center*/ o hoteleiro – o turismo

D1 Respostas

1. Pitty-cantora/Festival-Porão do Rock /2020-edição virtual/Youtube-transmissão gratuita/Localidade-acontecendo em Brasília

E2 Respostas

1. a) 0

~~1~~ 2 ~~3~~ 4 ~~5~~ ~~6~~ ~~7~~ 8 ~~9~~ ~~10~~

11 12 13 14 15 16 ~~17~~ 18 ~~19~~ ~~20~~

b) 21 ~~22~~ ~~23~~ 24 25 ~~26~~ 27 ~~28~~ 29 30

31 ~~32~~ ~~33~~ ~~34~~ 35 36 ~~37~~ ~~38~~ 39 ~~40~~

c) 41 42 43 44 45 46 47 48 49 ~~50~~

~~51~~ 52 53 ~~54~~ ~~55~~ 56 57 58 59 ~~60~~

61 62 63 64 65 ~~66~~ ~~67~~ 68 ~~69~~ ~~70~~

d) ~~71~~ 72 ~~73~~ 74 75 ~~76~~ ~~77~~ 78 ~~79~~ ~~80~~

81 82 83 ~~84~~ ~~85~~ 86 87 ~~88~~ 89 ~~90~~

91 92 93 94 95 96 97 98 99 100

2. 12 2 14 13 19

6 10 33 45 66

125 15 105 84 16 3

3. c) Sudoku

1	5	9	**7**	3	**4**	8	6	**2**
7	8	**6**	**5**	1	**2**	**4**	3	9
4	**3**	2	6	**9**	8	5	**1**	7
5	**1**	3	4	**6**	9	2	**7**	**8**
9	4	**7**	**8**	2	**3**	**1**	5	6
6	**2**	8	1	**5**	7	9	**4**	**3**
3	**7**	5	2	**8**	1	6	**9**	4
2	6	**4**	**9**	7	**5**	**3**	8	1
8	9	1	**3**	4	**6**	7	2	**5**

Lição 2

O que vamos aprender?

Oi!/Muito prazer./Tudo bem./Vamos tomar um cafezinho?/Às cinco./Não, não posso./São quatro e vinte./Vou bem, obrigado.

A3 Relacione

3, 1, 5, 4, 2.

B1 Respostas

1. meu/nosso amigo, médico, chefe, meu marido; minha/nossa amiga, médica, chefe, minha mulher; minhas/nossas amigas, professoras, colegas; meus/nossos irmãos, colegas.

B2 Respostas

vou/vamos/vão/vai.

B3 Sugestões

Eu vou viajar com Márcia. Ela vai morar em Recife. Nós vamos estudar Português. Vocês vão completar o exercício. Elas vão dançar no domingo. Eles vão almoçar no restaurante.

B4 Fale com seu/sua colega
Sugestões

- Você pode ir ao banco às duas e meia?
- Não posso. Tenho muito trabalho.
- Podemos jantar juntos amanhã?
- Não posso. Tenho dentista.
- Eles podem ir ao cinema?
- Não podem. Eles não têm carro.
- Vocês podem trabalhar no domingo?
- Podemos. Temos folga.
- Posso falar com o senhor amanhã?
- Não pode. Tenho um programa.
- A senhora pode telefonar hoje à tarde?
- Não posso. Não tenho tempo.
- Ela pode comprar este carro?
- Não pode. Ela não tem dinheiro.
- Posso ligar para você para confirmar a consulta?
- Não, não pode. Não tenho celular.

C2 Sugestões

- Este domingo estou livre. Podemos fazer um piquenique.
- Eu só estou livre de noite.
- Então podemos ir ao shopping, ao cinema.
- Claro! Podemos jantar lá também!

- Esta sexta-feira estou livre. O que podemos fazer?
- Podemos ir ao Rio.
- Boa ideia!

D1 Respostas

c, b, d, f/d, f, a, e

D2 Respostas

1. Sequência: 3, 1, 2
2. Secretária eletrônica: a-C; b-E; c-E; d-C

Teatro Municipal: a-E; b-E; c-E; d-E.
Dentista: a-E; b-C; c-E.

E Respostas

2. 2; 1; 1; 2; 2; 1; 2.

Lição 3

Página Inicial

1/2, 2, 1, 1/2, 1, 1/2, 1, 1/2.

B1 Respostas

1. sua/seus/suas/seu.

B2 Respostas

1. gosta de/gostamos de/gosto de/gostam de.
2. Vocês gostam de museus de arte?/Ele gosta (de) da minha amiga?/Vocês gostam (de) dos seus novos colegas? Você gosta (de) da sua nova casa?/Eles gostam de feijoada no sábado?

B3 Respostas

2. estou/está/estão/está/estamos.

B4 Respostas

Bêbados: Bebo/bebe/bebemos/bebem
Corrida: Corro/corre/corremos/correm
E-mails: Respondo/responde/respondemos/respondem.

B5 Respostas

1. quero/quer/querem/queremos.

D1 Respostas

1. descontente, contente, carne, peixe.
2. malpassado, mas gostoso.
3. serve peixe.

D2 Resposta

2. O Disque-Feijoada leva a feijoada à sua casa.

Você pode oferecer uma feijoada completa a seus amigos sem muito trabalho.

E2 A mesa

h, g, i , l, j, m, a, k, d, c, n, o, b, e, f.

Lição 4

Página Inicial

a = imagem 1; b = imagem 3; c = imagem 4; d = imagem 5; e = imagem 2; f = imagem 6.

B1 Respostas

1.

- Quanto tempo ele vai ficar lá?
- Ele vai ficar 5 dias.
- Quanto tempo vocês vão ficar lá?
- Nós vamos ficar 5 dias.

2.

- Quando estou de férias, eu fico na praia.
- Quando nós vamos ao clube, ficamos na piscina.
- Quando eles visitam Belém, eles ficam com amigos.
- Quando ela viaja para o Brasil, ela fica na Amazônia.
- Quando eu vou à casa da fazenda, eu fico longe do barulho da cidade.

B5 Respostas

2.

- Vocês preferem o hotel grande?
- Não, preferimos a pousada. É que ela é mais barata.
- O senhor prefere o quarto de frente?
- Não, prefiro o de fundo. É que ele é mais tranquilo.
- Ela prefere viajar de avião?
- Não, prefere viajar de carro. É que (ela) não gosta de aviões.
- Vocês preferem morar em casa?
- Não, preferimos apartamento. É que é mais seguro.
- A senhora prefere morar em São Paulo?
- Não, prefiro morar em Curitiba. É que é menor.
- Ele prefere batatas?
- Não, prefere massas. É que ele é italiano.

B6 Respostas

a) prefere/faz.
b) abro.
c) fazemos/preferimos.
d) abrem/preferem.
e) abre.
f) abre/prefere.

D1 Respostas

a) 4, 5 ou 6.
b) 2.
c) 3.
d) 1.

D2 Resposta

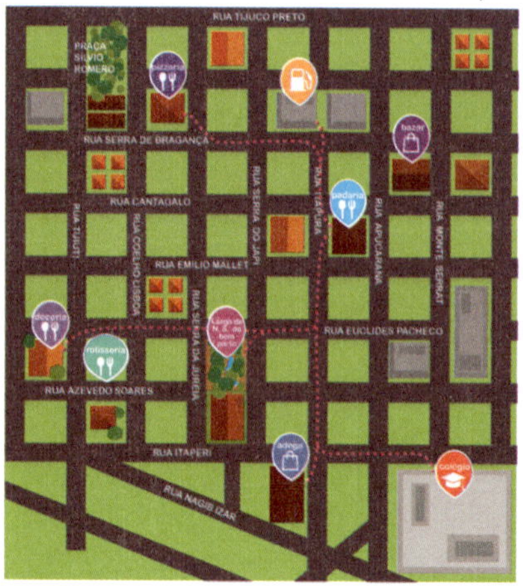

E1 Respostas

4, 1, 3, 10, 2, 5, 9, 8, 6, 7.

Lição 5

Página Inicial

3, 1, 2, 4, 7, 6, 5, 8.

A1 Respostas

Estudante = 4.
Casal com 3 filhos pequenos = 1 ou 2.
Família com 2 filhos adultos = 2 ou 3.
Duas amigas = 1.
Casal sem filhos = 4.
Casal de idade = 3.

A2 Resposta

1. Rua Roque Petrella.

A4 Respostas

1-d; 2-b; 3-f; 4-h; 5-e; 6-c; 7-g; 8-a.

B1 Respostas

1. trabalhei/trabalhou/trabalhou/trabalhamos/trabalharam/trabalharam.

B2 Respostas

1. bebi/bebeu/bebeu/bebemos/beberam/beberam.

B3 Respostas

1. abri/abriu/abriu/abrimos/abriram/abriram
2. **a)** decidiu **b)** abriu/abriu **c)** saíram/saíram **d)** desistiram/desistimos.

D1 Respostas

1.

a) tem um apartamento para alugar.
b) 2 quartos, uma sala, cozinha e banheiro.
c) na segunda-feira.

2.

Segundo anúncio.

D2

6. Relacione: 4, 2, 1, 5, 3

pedreiro-parede, carpinteiro-telhado, encanador-água, pintor-tinta, monitor de construção-coordenação

7. d.

E Respostas

Família: parente, irmão, irmã, pai, mãe, primo, filho, avô, tia, enteado etc.
Casa: quarto, corredor, porta, janela, telhado, escada, persiana, balcão etc.
Férias: praia, montanha, mar, excursões, viagem, avião, barco, carro, estrada, sol, leitura, música etc.
Comida: prato, pão, verduras, cereais, sopa, carne, massa, frutas (maçã, pera, abacaxi, manga, caqui) etc.
Escola: professor, colegas, livros, língua portuguesa, matemática, descanso, lição de casa etc.
Trabalho: escritório, horário, sono, colegas, chefe, computador, agenda, trânsito etc.

Lição 6

Página Inicial

2, 1, 2, 2, 1, 2, 2, 1, 2, 2, 1, 1, 2, 2, 1.

A2 Respostas

Dona Cecília: 38 anos; 4 filhos; professora; trabalha três vezes por semana; cuida dos filhos e os leva e traz da escola; aula de inglês; teclado; judô; ballet.

Dona Conceição: 43 anos; 4 filhos; empregada doméstica; trabalha das 8 horas da manhã às 4 horas da tarde; prepara o café da manhã para a família; pega ônibus; trabalha em casa; os filhos trabalham.

A3 Respostas

1. Tive menos trabalho.
Não fiz o almoço.
Pude pôr minha casa em ordem.

B1 Respostas

1.

a) Hoje (eu) sou diretor. Já fui vendedor.
b) Hoje (você) é calmo. Já foi muito nervoso.
c) Hoje (nós) somos amigos. Já fomos casados.
d) Hoje (vocês) são adultos. Já foram crianças.

2. a) Hoje (ela) vai ao cinema comigo; ontem, foi com Carlos.
b) Amanhã (nós) vamos à praia. Na semana passada, fomos também.
c) Sexta-feira (eles) vão ao concerto; ontem, foram ao teatro.
d) Nas férias, (eu) vou para Natal; nas últimas férias fui para Maceió.
e) Hoje à tarde (ele) vai ao dentista; ontem à tarde foi também.

B2 Respostas

1. a) Gérson esteve na casa de Paulo. Teve muito trabalho.
b) Vocês não estiveram na aula de Português. Tiveram aula na universidade
c) (Nós) não estivemos na praia. Estivemos na montanha.
d) Não estive no almoço com Iara Tive problemas com o carro.
e) Você não esteve na minha festa. Esteve na festa da Célia.

2. a) Vocês ainda não fizeram compras? Nós já fizemos.
b) Eles ainda não fizeram o teste? Eu já fiz.
c) Vocês ainda não fizeram o jantar? Eles já fizeram.
d) Eles já fizeram a cama? Vocês ainda não fizeram.
e) Ela ainda não fez a tarefa? Ele já fez.

3. a) Não tive, nem vou ter.
b) Não tiveram, nem vão ter.
c) Não estiveram, nem vão estar.
d) Não fizemos, nem vamos fazer.
e) Não foi, nem vai ser.

B3 Respostas

a) quis/pude.
b) quis/pôde.
c) quisemos/pudemos.
d) quisemos/pudemos.
e) quis/pude.

B4 Respostas

1.

dou, dá, damos, dão.

2.

a) • Ele já deu o dinheiro para Marina?
• Já deu, sim.
b) • Vocês já deram a carta ao professor?
• Já demos, sim.
c) • O professor já deu a nota para vocês?
• Já deu, sim.
d) • Ela já deu aula para você?
• Já deu, sim.
e) • Eu já dei o livro para você?
• Já deu, sim.

B5 Respostas

Alguns exemplos:

a) • Você não foi lá?
• Fui, sim.
b) • Você não teve problemas?
• Tive, sim.
c) • Ele não deu um presente?
• Deu, sim.
d) • Ela não quer nada?
• Quer, sim.
e) • Eles não fazem barulho?
• Fazem, sim.
f) • Vocês não podem ir?
• Podemos, sim.

B6 Respostas

1. o, a, as, os, a.
2. a, as, o/o, os.
3. a) Roberto, eu quero ajudá-lo; **b)** Anita, vamos buscá-la às 10.; **c)** Meus amigos, Marina quer conhecê-los.; **d)** Crianças, o ônibus vai levá-las para casa.
4. respondê-lo, comprá-las, vendê-los.
5. e, c, a, b, d.
6. a) Nós o alugamos na semana passada.
b) Eu vou visitá-lo na próxima quinta-feira.
c) Posso levá-la daqui a uma hora.
d) Eu vou comprá-las antes do almoço.
e) Ela a recebeu na segunda-feira passada.
f) Nós vamos vendê-lo no próximo fim de semana.
g) Eles vão fazê-lo daqui a meia hora.

C1 Respostas

1. 1, 2, 5, 3, 6, 4.
2. O estudante deu aula de matemática.
O empresário chegou ao escritório.
A atriz rodou cenas em Búzios.
O vendedor saiu de casa.
O grupo turístico dormiu no barco.
O trabalhador fez supermercado.
ou: 1, 3, 5, 2, 4, 6.

C3 Respostas

1. *Sugestões de respostas:*
Primavera: setembro; Verão: dezembro
Outono: março; Inverno: junho.
Feriados oficiais nacionais e dias santos no Brasil:
1º de janeiro – Confraternização Universal; 6 de janeiro – Dia de Reis;
Festas móveis
fevereiro/março – Carnaval e Quarta-feira de Cinzas;
março/abril
Sexta-feira da Paixão e domingo de Páscoa;
21 de abril – Tiradentes;
1º de maio – Dia do trabalho;
Segundo domingo de maio – Dia das mães;
Maio/Junho
Ascensão do Senhor;
Pentecostes;
Corpus Christi;
29 de junho – São Pedro;
15 de agosto – Assunção de Nossa Senhora;
7 de setembro – Independência do Brasil;
12 de outubro – Nossa Senhora Aparecida – Padroeira do Brasil;
2 de novembro – Dia dos Finados;
15 de novembro – Proclamação da República;
8 de dezembro – Imaculada Conceição;
25 de dezembro – Natal.

D1 Respostas

1. Atravessando a rua/na praia.
2. Eu vou indo e você, tudo bem?
Tudo bem.
Quanto tempo...
Quando é que você telefona?
Por favor.
Não esqueço.

D2 Respostas

2, 2, 2/3, 1/2, 3, 1, 2, 1, 1/2, 3, 3.

Revisão

R3 Diálogos

2, 6, 4, 10, 3, 5, 9, 8, 1, 7.

Livro de Exercícios

Lição 1

A1/2

1. Seu nome

Complete os diálogos

a) Como é seu nome? **ou** Qual é o seu nome?/Meu nome é Tuta **ou** Eu me chamo Tuta.

b) Boa tarde! Como é seu nome? **ou** Boa tarde! Qual é o seu nome? **ou** Boa tarde! Como você/o senhor se chama? / Meu nome é Miguel Reich-Ranitzki. **ou** Eu me chamo Miguel Reich-Ranitzki. / Como se escreve?

A3/4

2. Nacionalidade, profissão, residência

1. a) francês; **b)** italiano; **c)** holandesa; **d)** alemã.

2. Onde/Moro em/portuguesa/Não/Onde/médica.

3. a) É sim/Não, não é.

b) Sou sim/Não, não sou.

c) Sou sim/Não, não sou.

4. a) Você/o senhor/a senhora é brasileiro/a?

b) Ele é brasileiro/alemão/...?

c) Como é seu nome ou Como você/o senhor se chama?

d) A jornalista é brasileira/holandesa/...?

e) Como ela se chama?

B1

3. Verbo irregular ser

1. é/sou/é/são/é/Eu sou/Eles são/somos.

2. Não, não é. O Helmut é alemão/Pat é americana/São sim.

3. Sim, ele é professor.
Sim, eles são secretários.
Sim, sou médica/médico. **ou** Não, não sou médica/médico.

B2

4. Verbos regulares em -ar

a) falo português; **b)** fala inglês; **c)** fala alemão; **d)** falam francês; **e)** falamos inglês.

B2/3

5. Trabalhar, morar + em, no, na

1. a) trabalho no; **b)** trabalha no; **c)** trabalhamos no; **d)** trabalha na.

2. a) mora em/na; **b)** moram em/na; **c)** moro em/no; **d)** moramos em/nos.

C1

6. Identidades

1. 1, 2, 3, 4.

2. Antônio Viganó é casado. Ele é italiano e mora em Milão, na Itália. Ele trabalha na Fiat e é mecânico.
Adelita Martinez é solteira. Ela é argentina e mora em Mendoza, na Argentina. Ela é estudante.
Maurício de Assis é brasileiro. Ele é casado. Maurício é professor universitário e advogado.
Irene Meyer é alemã. Ela mora em Mannheim, na Alemanha. Ela é médica e trabalha no Hospital Municipal.

D1

7. Dados Pessoais

2. John Robert Murray/... anos/21 de setembro de 1960/americano/casado/jornalista/New York Times/Brasília/português e inglês/jogar tênis, fazer caminhadas e ouvir música popular americana e brasileira.

D2

8. Jornal da Tarde

1. a) certo; **b)** errado; **c)** errado; **d)** certo;

2. Clark, John/inglês/Quênia, África/professor universitário/turismo/organiza turismo ecológico.

E 9. Números

1. a) 12 – 2 – 13 – 30 – 43 – 16 – 60.

b) 11 – 70 – 76 – 67 – 14 – 40 – 50.

c) 5 – 86 – 17 – 25 – 19 – 90 – 100.

2. quinhentos euros/trinta mil ienes/cento e sessenta francos suíços.

Lição 2

A1/2

1. Sua agenda

1. Segunda/Terça/Quarta/Quinta/Sexta/Sábado/Domingo.

A3

2. Que horas são?

1. a) São quatro e meia. **b)** São dez e meia. **c)** São quinze para as dez. **d)** É uma hora./É uma hora em ponto. **e)** São vinte para as quatro. **f)** São nove e quinze da noite. **g)** São dez para o meio-dia. **h)** É meia-noite.

A4

3. A que horas?

A que horas vamos almoçar?/A que horas é (começa) o filme?/A que horas é o jantar?/A que horas você vai ao médico?/A que horas ele vai ao escritório?

A5

4. Você pode...?

a) Não posso. À tarde eu tenho uma reunião. **b)** Não posso. Às duas eu tenho aula de ginástica. **c)** Não posso. De manhã eu vou ao (faço) supermercado. **d)** Não posso. Amanhã de noite eu vou ao teatro.

A1/5

5. Alice

a) Ela mora em Curitiba. **b)** Ela trabalha na Volvo. **c)** Ela é secretária. **d)** Ela trabalha no escritório de manhã. **e)** Ela almoça à uma hora. **f)** Não, não pode. Ela trabalha. **g)** Sim, pode. A aula de inglês só começa às 3 horas. **h)** Não, não pode. Ela estuda na biblioteca.

B1

6. Pronomes demonstrativos e possessivos

1. a) meu, nosso/ Estes são os meus/ nossos filhos; **b)** minha, nossa/ Estas são as minhas/nossas amigas; **c)** Este/ meu/nosso/ Estes são os meus/nossos irmãos; **d)** Esta/minha/nossa/ Estas são as minhas/nossas professoras; **e)** Este é o meu/nosso/ Estes são os meus/ nossos diretores; **f)** Esta é a minha/nossa/ Estas são as minhas/ nossas filhas.

B2/3

7. Verbo irregular ir e futuro imediato

1. vamos/vai/vou/vão.

2. Ele trabalha às oito horas./Nós vamos ao cinema às oito horas da noite./Eu vou almoçar ao meio-dia./Ele vai à reunião às dez horas.

B4

8. Verbo irregular poder

Podemos/pode/podemos/podem.

B2/4

9. Ir ou poder

a) pode/posso; **b)** podem/não podem/vão; **c)** podem/não podemos/vamos; **d)** vai ou pode/vai ou pode; **e)** vai ou pode/vai ou pode/vai.

B2/4

10. Verbos irregulares ir e ter.

a) têm; **b)** vai; **c)** tem; **d)** vão; **e)** temos; **f)** vamos; **g)** vão; **h)** têm.

B2/4

11. Agenda da Sônia

1. Você está livre terça-feira de manhã?/Pedro vai ao dentista segunda de manhã?/Quando você vai ao escritório?ou O que você faz quinta de manhã?/A que horas você vai ao escritório na quarta-feira e na quinta-feira?/Quando vocês têm reunião?/Vocês podem ir ao cinema domingo à tarde?

2. Terça de manhã: aula de ginástica, aula de português/Quarta de tarde: no escritório/Quinta 8:15-11:55 escritório/Sexta de tarde: reunião/Sábado: livre/Domingo à tarde: cinema.

C1

12. Compromissos

a) 6, 1, 5, 4, 2, 3.
- Bom dia, Édson.
- Bom dia.
- Você pode ir à reunião geral na quinta-feira às 8h?
- Às 8 horas, não posso. Tenho um cliente, mas às 9:30 estou livre.
- Então, vamos começar às 10 horas em ponto.
- Tudo bem. Por favor, telefone para confirmar o horário.

b) 3, 2, 5, 1, 4.
- Oi, Sandra. Tudo bem?
- Tudo bem.
- No fim de semana, vou à praia com meus amigos. Você quer ir também?
- É claro! Mas só posso viajar no sábado à tarde. De manhã, eu trabalho.
- Não tem problema. Podemos sair à uma e meia.

C2

13. Uma carta

Cara Marina
Como vai, tudo bem? Gostaria de passar o fim de semana com vocês, mas, não posso porque vou trabalhar no sábado de manhã. Mas vou estar livre no próximo fim de semana.
Tudo bem?
Um abraço

D1

14. Notícia de jornal

1. Vida na cidade grande.
2. 1. carro: transporte individual.
2. ônibus: transporte coletivo.
3. vias públicas: ruas, avenidas etc.
4. fila: em local público, grupo de pessoas esperando a sua vez.
3. as pessoas não vão muito ao cinema, à praia etc./as pessoas não têm muito tempo para almoçar.

D2

15. Posso falar com o Carlos, por favor?

1. a festa de Paula **ou** convite para um jantar.
2. a) c; **b)** e; **c)** e; **d)** c; **e)** e;

E

16. Comunicação na sala de aula.
- Quem não entendeu?
- Eu.
- Como se fala *homework* em português?
- Tarefa.
- Está claro?
- Não, não entendi.
- Soletre, por favor.
- T-A-R-E-F-A
- Abram o livro-texto, por favor.
- Em que página?
- Tem tarefa?
- Sim, faça o exercício E1 no livro de exercício.

E

17. Palavras

1. a) ir ao cinema, ao teatro, ao concerto, ao jogo de futebol, à praia, ao clube, ao *shopping*/viajar/dançar/fazer piquenique
b) jornalista, médico, professor, cozinheiro, arquiteto, secretária, enfermeira, artista, motorista, bancário, comerciante, hoteleiro, cineasta, atriz
2. senhora/colega/francesa/mulher (esposa)/irmã/alemã

Lição 3

A1/2

1. Mesa, cardápio, aperitivo

1. Para quatro/Quanto tempo vamos esperar?
2. O cardápio
3. vai tomar?/Vou./de/Gosto.
Vai/Vou tomar uma batida de... (coco, maracujá, carambola, amendoim)

A3/4

2. O que você vai pedir?

1. (f, d, b, e, a, g, h, c) uma salada mista/pernil com farofa/uma cerveja bem gelada/um suco de maracujá bem grande/um filé ao ponto/doce de coco/batata frita/frutas secas.
2. Quero um filé ao ponto e batata frita. Vou tomar uma cerveja bem gelada. Vou pedir um pernil com farofa e uma salada mista.

A5

3. Convite

Querido Alain,
quero convidar você e sua amiga para um jantar brasileiro no sábado, às 8 horas. Vamos começar com um aperitivo, depois um peixe à brasileira e frutas de sobremesa.
Vocês vão gostar.
Um abraço
Lúcia.

B1

4. Pronomes possessivos

Marina, você tem sua/seus/seus/suas/suas
Pedro, você tem seu/sua/suas/sua/seus
nossa/nossos/nossos

B2

5. Gostar de

Eu (não) gosto da minha casa/da minha cidade/do meu país/de escrever/de política/de ler/de ir ao cinema/de trabalhar/de futebol/de beber vinho/de comida italiana/...

B3

6. Verbo estar

1. Eles estão com fome/Ela está com sede/O telefone está ocupado/A mesa está livre.
2. • Laura está no cinema?
- Não, ela está na biblioteca.
- Eles estão em Manaus?
- Não, eles estão no Rio.
- Alberto está no clube?
- Não, ele está no escritório.
- O casal está no restaurante?
- Não, está no teatro.

B5

7. Verbo irregular querer

Eu quero falar com ela.
Nós queremos jantar juntos.
Elas querem ir ao cinema.
Ele quer comer pizza.

B3/4/5

8. Estar, beber, querer

querem/quer/filé/vai beber/cerveja/gelada/está/está/sede/beber/suco/querem/batata frita/salada/bebem.

B6

9. Ser ou estar

1. **1** está/é; **2** está/está; **3** está/é; **4** está/é; **5** estou/sede; **6** estão/são;
2. 1 enfermeira; 2 atrasado; 3 professor; 4 secretária; 5 sede; 6 garçons

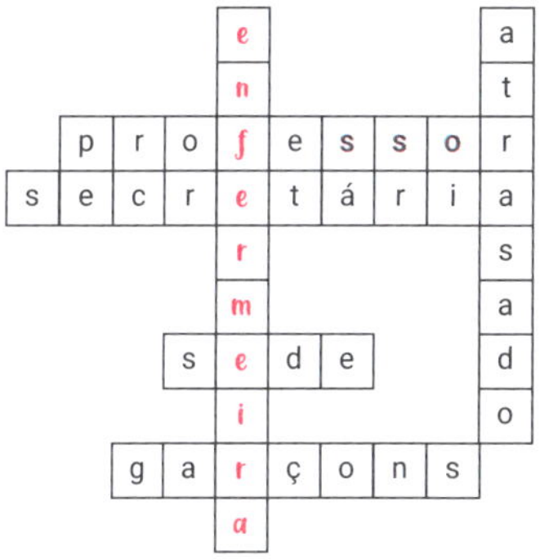

11. Informações sobre o Brasil

1. Sul e Sudeste; Zona Franca de Manaus; Polo Industrial de/Norte/Porto Alegre, Curitiba, São Paulo, Rio de Janeiro, Belo Horizonte, Recife, Salvador/São Paulo, Minas, Goiás, Bahia.
2. a) 8,5 milhões; **b)** 180 milhões; **c)** 46%.

12. *Orientações ao leitor*:
O exercício tem como objetivo fazer com que o aluno pense e expresse seu ponto de vista, mesmo com algumas "restrições" implícitas no texto de Marilena. É um exercício bastante

aberto, deixando o aluno muito à vontade para exprimir sua opinião. Há aqueles que pensam ser Marcos, enquanto outros indicam Dieter como escolha mais acertada. A atividade é bastante subjetiva. Assim, qualquer resposta pode ser a correta, de acordo com a opinião do aluno.

E1/2

13. Palavras, palavras, palavras

1. a) brócolis; **b)** farofa; **c)** caipirinha; **d)** peixe; **e)** sanduíche.

2. 1. prato; 2 xicrinha de café; 3 xícara de chá; 4 colher de chá; 5 faca; 6 garfo; 7 colher de sopa.

14. Caça-palavras

h	w	w	e	h	r	a	t	a	o	p
o	o	k	j	o	g	m	d	t	m	z
r	c	x	b	j	i	a	h	r	a	d
a	w	e	e	e	y	n	o	a	n	p
t	a	r	d	e	g	h	r	s	h	z
x	c	t	b	n	m	ã	á	a	ã	d
r	e	l	ó	g	i	o	r	d	o	n
ç	s	e	m	a	n	a	i	o	a	o
t	c	v	b	a	u	j	o	g	f	i
a	d	i	a	n	t	a	d	o	o	t
h	o	r	á	u	o	o	s	s	a	e
x	c	v	b	n	s	j	d	i	a	d
s	e	g	u	n	d	o	s	i	m	d
x	c	v	b	n	m	j	c	e	d	o

1 hora; 2 hoje; 3 amanhã; 4 horário; 5 atrasado; 6 manhã; 7 minutos; 8 noite; 9 tarde; 10 relógio; 11 semana; 12 adiantado; 13 dia; 14 segundos; 15 cedo.

Lição 4

A1/2

1. Leia a ficha e complete o diálogo

Eu quero fazer uma reserva/Para o dia 18/Vamos ficar 3 dias./Apartamento duplo/Tem muito barulho?/É para Victor Martin.

A2/3

2. Uma carta

Estou/simples/Fica/tem/apartamento/cama/fundos/barulho/diária.

A3

3. Reclamações

a) 2, 5, 6 • O ar-condicionado não está funcionando/é muito frio/é muito barulhento.

b) 1, 4 • A cama é muito dura/tem cheiro de mofo.

c) 3, 6 • A rua é muito barulhenta/escura.

d) 2 • A televisão não está funcionando.

e) 3, 4, 5, 6, 7 • O quarto é muito escuro/tem cheiro de mofo/é muito frio/é muito barulhento/está muito abafado.

f) 2, 5 • O chuveiro não está funcionando/é muito frio.

g) 2, 6 • O elevador não está funcionando/é muito barulhento.

A4

4. Acho que...

a) Acho que sim / Talvez / Não sei

b) Acho que não / Não sei

c) Acho que sim / Talvez

d) Acho que não

e) Acho que

A5

5. Siga em frente

2, 3, 1.

B2

6. Pronomes possessivos: dele, dela, deles, delas

a) O marido dela está em casa./Seu marido está em casa.

b) Os pais deles moram em Vitória./Seus pais moram em Vitória.

c) As colegas dele são simpáticas./Suas colegas são simpáticas.

d) Você tem o telefone dela?/Você tem o seu telefone?

e) Estes vídeos são deles também./Estes vídeos são seus também.

B4

7. Verbos em ir

a) assistem; **b)** divide/divido/prefere; **c)** permitem/discute/desiste/assisto.

B5/6

8. Verbos misturados

a) ficar/fazer/quero; **b)** faz/fazem/fazemos/fica; **c)** quer/fico/prefiro (quero).

B7

10. O que eles estão fazendo?

O pai está comendo./A mãe está escrevendo./O filho está lendo o jornal./A filha está telefonando.

C1

11. Casa ou hotel

1. Na hora do almoço, podem preparar seus pratos preferidos.
Na casa, podem viver sem horário fixo/podem preparar seus pratos preferidos.
A família quer receber amigos/pode preparar seus pratos preferidos/pode viver sem horário fixo/prefere a tranquilidade da casa.
Seus filhos querem receber amigos/podem viver sem horário fixo/preferem a tranquilidade da casa.
Passar as férias na casa fica mais barato.

2. Algumas pessoas preferem passar as férias no hotel. No hotel, elas têm mais tempo livre e não precisam arrumar o quarto ou limpar o banheiro. Também não precisam cozinhar; podem ir ao restaurante ou tomar um drinque no bar.

C2

13. Teatro Amazonas

1. Onde é/fica o teatro Amazonas?

2. É perto/longe? Como chego até lá?

3. A que horas abre o teatro?

4. Preciso tomar um ônibus/táxi? Onde tem ônibus/táxi?

D1

14. Rádio Eldorado

1. um anúncio.

2. a) errado; **b)** errado; **c)** certo; **d)** certo.

3. sauna/piscina natural/restaurante.

4. 2222-3535.

D2

15. Hotel Lancaster

1. grande/na cidade/três estrelas/moderno.

2. a) ar-condicionado, TV a cabo, música ambiente, frigobar.

b) serviço à la carte, buffet de feijoada às quartas e aos sábados.

c) salas de reuniões com equipamentos.

d) sauna, massagem, ducha escocesa, outros.

E1

16. Hotéis: Categorias e Serviços

4/1/6/8/9/5/2/3/10/7

E2

17. Rio de Janeiro em números

Área: quarenta e três mil, setecentos e noventa e sete vírgula quatro quilômetros quadrados; Municípios: noventa e dois. População: catorze milhões trezentos e sessenta e sete mil. Capital: cinco milhões e novecentos mil; Temperatura: vinte e quatro graus Celsius; Urbanização: noventa e seis por cento; Analfabetismo: seis por cento. Produto interno bruto de onze vírgula dois por cento; Representação no CN: três senadores; quarenta e seis deputados.

Lição 5

A1

1. Procurando um apartamento

1. b; **2.** d; **3.** c; **4.** a.

A2

2. Características

a) úmida/pequena/escura; **b)** agradável; **c)** ensolarado/agradável; **d)** grande; **e)** caro.

A3

3. O que para quem

1. h; **2.** a; **3.** c; **4.** e.

A4

4. A sala

a) em frente; **b)** em cima; **c)** atrás; **d)** entre; **e)** ao lado/em frente.

B1/2/3

5. Pretérito perfeito dos verbos regulares

1. a) vendeu/bateu; **b)** bateu/vendeu; **c)** convidaram; **d)** abriram.

2. viajei, conseguimos, assisti, gostei, conheci, não saí.

B4

6. *E-mail*

recebi/gostam de/gostam/alugaram/vendeu/vai comprar/conhecem, conheceram/tem/saiu.

B4

7. Perguntas e respostas

a) 6; **b)** 1; **c)** 4; **d)** 5; **e)** 3; **f)** 2.

B5

8. Comparativo

a) melhor; **b)** menor; **c)** maiores; **d)** melhores; **e)** pior.

C1

9. Uma carta

Querido Caio

Estamos bem. Recebi sua carta e também não sei o que fazer. Eu prefiro a casa, porque a vida de família numa casa é muito melhor. Por outro lado, ela parece muito isolada. E as crianças? Onde está a escola mais próxima?

Por isso, eu quero mais informações sobre o apartamento. Quanto custa? Quantos quartos e banheiros ele tem? Tem piscina? Responda logo.

Um beijo, Rita.

C2

10. Mudança

1. Os homens chegaram às 7 horas. 2. Às sete e quinze eles abriram os armários. 3. Às vinte e cinco para as onze eles transportaram as caixas e os móveis para o caminhão. 4. Às onze e meia eles fecharam o caminhão e partiram. 5. O sofá caiu na rua.

D1

11. João-de-barro

1. Desenho: homens e fazer ninho nas proximidades de nossas casas./O que dá o nome ao João-de-barro é o fato de construir ninhos..., mas de barro.

2. a, c.

3. b) Ele vive nas regiões Sul e Sudeste do Brasil; **d)** Ele faz a casa com barro; **e)** Ele mede em geral 20 cm.

D2

13. Bobagem?

1ª audição: A pessoa compara sua vida antiga, quando morava numa casa pequena, mas confortável e bem localizada, com a vida que tem agora, morando numa casa grande e confortável, longe de tudo.

2ª audição: A primeira casa era pequena, mas confortável. Tudo era perto. O escritório dela, o consultório do marido e a escola das crianças. Agora ela não está contente: mora numa casa grande, com muito espaço para a família, mas sua família não aproveita nada disso. Todos vivem correndo, porque tudo é longe. A vida deles agora é uma maratona permanente.

E

14. Qual é o intruso?

a) trocar; **b)** data; **c)** estrangeiro; **d)** casa; **e)** farofa; **f)** longe; **g)** chuveiro; **h)** perto.

Lição 6

A1

1. Frequência

a) o dia inteiro; **b)** sempre; **c)** de vez em quando; **d)** o tempo todo; **e)** geralmente.

A1/2

2. Atividades do dia a dia

1. Ele está lavando roupas. 2. Ela está cozinhando. 3. Ele está dirigindo. 4. Eles estão numa fila. 5. Ele está arrumando a cozinha. 6. Ele está passando roupa.

A3

3. Palavras Cruzadas

1. adolescentes; 2. faxineira; 3. cansada; 4. homem; 5. mulher; 6. serviço; 7. profissão; 8. cedo; 9. empregada; 10. cozinheira; 11. tempo; 12. idade; 13. subúrbio.

B1

4. Pretérito perfeito – Verbos irregulares ir, ser

foi/fui/fui/foi/foram/foi/fui/foi.

B2/3

5. Pretérito perfeito – Verbos irregulares ter, estar, fazer, querer, poder

1. a) fiz/fez; **b)** estiveram/esteve; **c)** tivemos/teve; **d)** pude/pôde.

2. a) fizemos/fizeram; **b)** estive/esteve; **c)** tive/teve; **d)** pudemos/puderam.

B4

6. Verbo irregular dar: Presente e Pretérito perfeito

a) deu/dá; **b)** deu/dá; **c)** dei/dou; **d)** demos/damos.

B6

7. Pronomes pessoais: o, a, os, as, -lo, -la, -los, -las

1. os/os/as/a.

2. a) lê-lo; **b)** respondê-la; **c)** fazê-lo; **d)** abri-las; **e)** convidá-lo; **f)** levá-la; **g)** ajudá-los.

8. A senhora/o senhor – você

a) o senhor; **b)** você; **c)** a senhora; **d)** você/a senhora; **e)** o senhor; **f)** o senhor; **g)** o senhor/você; **h)** você; **i)** a senhora; **j)** a senhora; **k)** o senhor; **l)** você/o senhor, a senhora.

C3

9. Ampulheta

1. primavera 2. verão 3. outono 4. inverno/meses/1. janeiro 2. fevereiro 3. março 4. abril 5. maio 6. junho 7. julho 8. agosto 9. setembro 10. outubro 11. novembro 12 dezembro/mês/semanas/semana/dias/1. segunda 2. terça 3. quarta 4. quinta 5. sexta 6. sábado 7. domingo/dia/horas/madrugada/manhã/tarde/noite.

C1

10. Pedro Lopez de Termas de Ibirá

1. a) 7º parágrafo "O parapsicólogo..."; **b)** 2º parágrafo "Pedro Lopez nasceu..."; **c)** 2º parágrafo "Mantém-se atualizado..."; **d)** 3º parágrafo "Ele próprio não tem explicação"; **e)** 1º parágrafo" Ele mora sozinho...".

2. a). errado; **b)** errado; **c)** certo; **d)** errado; **e)** certo; **f)** errado; **g)** certo.

11. Adivinhe

1. A/D/E/F/H. **2.** H. Como ele é baixo, aperta o botão de seu andar com o guarda-chuva.

12. Dia e noite

ruim, primeiro, salgado, adiantado, triste, quente, pequeno, velho, alto, pior, caro, sujo, silencioso, claro, fácil, feio, perguntar, receber, ir, fechar, ganhar, vender, fora, embaixo, atrás, entrada, desordem, trabalho, noite, verão, cedo, depois, menos, depressa.

13. Verbos e substantivos
fazer: almoço, compras; dar: muito trabalho, tempo, o telefone, aula; ir: para casa, ao cinema, à cozinha; atender: o telefone; pôr: em ordem; ter: muito trabalho, tempo, aula, televisão; voltar: para casa, ao cinema; arrumar: a cozinha, a televisão; assistir: aula, televisão; estar: em ordem; perder: tempo, aula.

Revisão
1. é (fala/estuda); **2.** vou almoçar/eu almoço; **3.** posso/pode/tem que; **4.** Minha irmã é holandesa. Esta é nossa professora de inglês; **6.** são; **7.** somos/falamos; **8.** em/na; **9.** se chama; **10.** meus; **12.** a que horas; **13.** quando; **14**. quantas; **15.** estamos livres; **17.** é/está; **19.** do; **20.** quanto tempo; **21.** do/do; **23.** primeiro, segundo, terceiro, primeira, segunda, terceira; **24.** dele; **25.** dela; **27.** deles; **28**. abrem; **30**. bebemos (ou tomamos)/comemos; **31**. faço/faz/fazemos/fazem; **32.** quero/quer/queremos/querem; **33.** preferem/prefiro; **34.** falando; **36.** sei/sabe; **37.** visitei/visitou/visitamos/visitaram; **38.** recebi/respondi; **39.** venderam/compraram; **40.** abri; **41.** mais fria do que o Saara; **43.** O Fiat é menos caro do que o Rolls-Royce. O Rolls-Royce é mais caro do que o Fiat; **44.** A casa 1 é maior do que a casa 2; **46.** flores/no vaso; **47.** abajur/em cima da mesa; **48.** tapete/embaixo da mesa; **49.** mesa/entre o sofá e a poltrona/ao lado do sofá, da poltrona/...; **50.** tive/teve/tivemos/tiveram; **51.** fiz/fez/fizemos/fizeram; **52.** quiseram/quisemos/pudemos; **53.** deu/pude/-lo; **54.** -los.

Fonética
Passo 1
1.2. Ouça o áudio e escreva as letras.
g, c, r, h, s, j, g, z, d, m, x, n, y, l, u, q, w, t, a, k.

1.4. Ouça o áudio e escreva os nomes.
Charles, Amélia, Maria, Novo Avenida Brasil.

2. Ouça o áudio e relacione.
[s] sou, sobrenome, observe, ouça, conversa, profissão, cidade.
[z] inglesa, holandesa, exemplo, zero.

3.1 Ouça o áudio e relacione.
[e] ele, seu, ser, eles, eu, você, português.
[ɛ] é, ela, até, médico, elas.

4. Ouça o áudio e relacione.
[o] senhor, como, professor, professora, morar, hotel.
[ɔ] moro, só, menor, maior.

Passo 2
1. Ouça o áudio e relacione.
[ẽ] alemã, amanhã, irmã, também, dançar.
[ɐ̃ũ] alemão, são, irmão, moram, falam, trabalham.

4.1. Ouça o áudio e relacione.
[h] carro, repetir, restaurante, recado, corrigir.
[ɾ] marido, restaurante, mora, motorista, hora, para.

5. Acentuação. Marque a sílaba tônica:
ca**<u>fé</u>**, cafe**<u>zi</u>**nho, a**<u>mi</u>**go, estu**<u>dar</u>**, fute**<u>bol</u>**, di**<u>á</u>**logo, **<u>mé</u>**dico, neces**<u>sá</u>**rio.

Passo 3
1.2. Ouça o áudio e marque as palavras com o som [õ]
onze, bom, conta.

Passo 4
1.1. Ouça o áudio e relacione.
[ʃ] preencha, peixe, xícara, chá, acho, chega.
[ʒ] gente, já, relógio, agenda, jantar, longe, junto.

1.2. Ouça o áudio e marque as palavras que você ouviu.
chama, agenda, jogo, gente, peixe, cerveja, xícara.

Passo 6
1. Ouça o áudio e marque o que você ouviu.
tive/prefere/esteve/pôde/fez/foi.

2. Ouça o áudio e classifique as palavras de acordo com o som.
[s] sexta, explicação, texto, sexto, experiência, próxima.
[z] exemplo, examinar, exercício, exigir, bazar.
[ʃ] xícara, peixe, embaixo.
[ks] táxi, durex, sexo.

Passo 7
Ouça o áudio e sublinhe as palavra com som [ɛɾ]
moderno, certo, interno, perto, observe, reserva, quer, caderno, conversa.

Passo 8
1. Leia as palavras e escreva-as nas colunas correspondentes.
[s] salário, dicionário, cansada, péssima, passagem.
[z] vazio, fazenda.
[ʃ] churrasco, lanchonete, acho.
[ʒ] julho, junho, janela.

2. Ouça o áudio e marque o som que você ouviu.
[h] rápido, rotina, repita.
[ɾ] tirar, barulho, armário, era, vira, operário.
[l] lado, vila, ela, almoço.

Passo 9
1.2. Marque o som que você ouviu.
[ɐ̃ũ] mão, verão, irmãos, pão.
[ẽĩ] mãe, mães, alemães, pães.
[õĩ] estações, lições, cartões, põe.

Passo 10
1. Ouça o áudio. O "o" nas duas palavras é idêntico?
1. não, 2. não, 3. não, 4. não, 5. sim, 6. sim, 7. não, 8. não, 9. sim.

Passo 11
1. Ouça o áudio e marque o som que você ouviu.
[f] fez, filho, fazenda, fila, fechado, faço, feio, fundo, feijoada, bife, famoso, café, fica.
[v] talvez, vez, vai, velho, vizinho, vazio, vila, vaso, viu, aviso, avenida, voa, vaga, veio, Volvo, vida, avião

2. Ouça o áudio e marque o som que você ouviu.
[b] beber, bêbado, banho, buscar, bem, base, bater, bazar, bola, bule, boa, beijo, bloco
[v] verde, viver, você, vende, vem, aviso, ave, vejo, avô, voa, viajar, violão, voltar.

Vocabulário alfabético

- Esta lista apresenta todas as palavras contidas nos diálogos, exercícios, textos e explicações gramaticais.
- De acordo com a concepção didática do livro, ela não contém o vocabulário dos textos de audição e leitura.
- Segue-se a cada palavra a indicação da lição e da parte em que ela aparece pela primeira vez. Exemplo: abril L6; 51: a palavra abril aparece pela primeira vez na lição 6 do livro-texto, na página 51. E quando utilizamos LE, é que a palavra aparece no Livro de Exercícios.
- A indicação m (masculino) e f (feminino) acompanha o substantivo cujo gênero não é óbvio.
- Para substantivos com a terminação -ão indica-se, além do gênero, a forma do plural. Exemplo: construção -ões L4; 25.
- Para adjetivos com terminação -ão, indicam-se as formas do feminino, do plural masculino e do plural feminino. Exemplo: alemão -ã, -ães, -ãs L1; 2.
- Quando necessário, indica-se entre parênteses a classe da palavra:

(art.) = artigo;
(adj.) = adjetivo;
(adv.) = advérbio;
(conj.) = conjunção;
(contr.) = contração;
(interj.) = interjeição;
(num.) = numeral;
(prep.) = preposição;
(pron.) = pronome;
(reflex.) = pronome reflexivo;
(subst.) = substantivo;
(vb) = verbo.

A

a (art.) L1; 1
a (prep.) L5; 40
a cargo de (adv.) L4; 31
a cem (adv.) L6; 52
a combinar L5; 40
a pé (adv.) L4; 25
à bolonhesa (adv.) L3; 17
à brasileira (adv.) L3;17
a cavalo (adv.) L3; 17
à direita (adv.) L4; 25
à esquerda (adv.) L4; 25
à la carte (adv.) LE4, 84
à noite (adv.) L2; 8
a passarinho (adv.) L3; 17
à tarde (adv.) L2; 8
à vista (adv.) R1; 57
abafado/a (adj.) L4; 24
abaixo (adv.) L3; 21
abajur (m. subst.) L2; 13
aberto/a (adj.) L2; 13
abraço (subst.) LE2; 71
abril (subst.) L6; 51
abrir (vb) L4; 28
academia (subst.) L2; 11
acampar (vb) LE3; 77
aceita (vb aceitar) L4; 24
acerte (vb acertar) R1; 55
acho (vb achar) L5; 39 LE4; 80
acima (adv.) L6; 54
acolhedor (adj.) LE4; 83
acomodação (f. subst. -ões) L4; 30
acordar (vb) L6; 50
acredito (vb acreditar) R1; 58 LE6; 96
açucareiro (subst.) L3; 22
adega (subst.) L4; 26
adequado/a (adj.) L1; 4
adeus (interj.) L6; 52
adiantado/a (adj.) L2; 9
adivinhar (vb) LE6; 97
adjetivos (subst.) LE5; 85
administração (f. subst. -ões) L4; 31
adolescentes (subst.) L6; 44
adultos (adj.) L5; 34
adversário (subst.) R1; 55
advogado (subst.) LE1; 64
aeróbica (subst.) LE5; 85
aeroporto (subst.) L4; 25
afirmou (vb afirmar) LE6; 96
agência(s) (subst.) L4; 25
agenda (subst.) L2; 9
agentes (subst.) LE; 84
agitos (subst.) L2; 13
agora (adv.) L1; 4
agosto (subst.) L6; 51
agradável (adj.) L4; 25
agradecer (vb) L3; 15
água (subst.) L3; 16
aguardar (vb) L3; 21
ah (interj.) L2; 8
aí (adv.) L6; 52 ; LE4; 80
ainda (adv.) L5; 34
ajuda (subst.) L5; 41
ajudar (vb) L4; 25
alameda (subst.) L2; 13
alcoólicas (adj.) LE6; 97
alegre (adj.) LE4; 82
além de (prep.) LE4; 84
alemão, – ã, -ães, -ãs (adj.) L1; 2
alface (f. subst.) L2; 13
algarismos (subst.) L1; 6
algo (pron.) L4; 23
alguém (pron.) L2; 7
algum(a) (pron.) L2; 7
algumas (pron.) L1; 3
alguns (pron.) L6; 50
alho (subst.) L3; 17
ali (adv.) L4; 32
alimentação (f. subst. -ões) L3; 20
alma (subst.) L6; 52
almoçar (vb) L2; 8
almoço (subst.) L2; 12
almofada (subst.) L5; 36
alternativa (subst.) L5; 40
alto (adj.) L2; 14
altura (subst.) LE3; 76
alugar (vb) L4; 31
alugado, -a (adj.) L5; 40
alugar (vb) L5; 34
aluga-se (vb) L4; 31
aluguel (subst.) L5; 35
aluno, -a (subst.) L2; 14
amado (adj.) L6; 53
amanhã (adv.) L2; 8
ambiente(s) (m. subst.) L2; 13
ambulante (adj.) L6; 50
americano/a (adj.) L1; 1
amigo (subst.) L2; 7
amplos (adj.) LE4; 84
ampulheta (subst.) LE6; 95
analfabetismo (subst.) LE4; 84
andar (vb) L1; 3
andar (m. subst.) L5; 35

andar superior (subst.) L5; 34
animados/as (adj.) R1; 57
animais (animal) (subst.) LE4; 81 R1; 57
aniversário (subst.) L3; 22
ano(s) (subst.) L1; 5
anotação (m. subst. -ões) L2; 10
anteontem (adv.) LE6; 93
anterior (adj.) LE1; 65
antes (adv.) L3; 16
antigos/as (adj.) L5; 37
antiquários (subst.) L4; 25
anual (adj.) L2; 13
anúncios (subst.) L2; 13
ao ar livre (adv.) L4; 25
ao gosto (adv.) L2; 13
ao lado d(a) (prep.) L5; 33
ao meio-dia (adv.) L2; 8
ao ponto (adj.) L3; 16
aparelho de som (subst.) L5; 39
apartamento (subst.) L4; 23
aperfeiçoo (vb aperfeiçoar) LE6; 96
aperitivo (subst.) L3; 15
aponte (vb apontar) L4; 32
após (prep.) LE5; 85
aposentado/a (adj.) L4; 31
apreciador (subst.) LE6; 96
aprender (vb) L1; 1
apresentar (vb) L2; 7
aproveitei (vb aproveitar) L6; 50
aquecida/o (adj.) L4; 30
aquecimento (subst.) L4; 30
aquela (pron.) LE5; 108
aquele (pron.) R1; 58
aqui (adv.) L3;18
ar-condicionado (subst.) L4; 24
arara (subst.) LE5; 89
área (subst.) L4; 32
área de serviço (subst.) L5; 33
areia (subst.) L4; 31
argentinos/as (adj.) LE1; 64
argumentar (vb) LE6; 96
argumente (vb argumentar) R1; 57
armário(s) embutido(s) (subst.) L5; 33
arquiteto(s) (subst.) L1; 2
arroz (subst.) L3; 17
arrumar (vb) L4; 30
arte (f. subst.) L3; 18
artífice (subst.) L5; 41
artigo (subst.) L3; 18
artista (f. subst.) L1; 5; 4
árvores (subst.) LE5; 87
às (contr.) L2; 7
às dez (adv.) L2; 8
às vezes (adv.) L6; 43
aspargos (subst.) L3; 17
assado/a (adj.) L3; 17
assessores (subst.) L6; 50
assim (adv.) L2; 12
assinatura (subst.) LE1; 64
assistir (vb) L4; 28
assistiu (vb) L6; 51
associação (f. subst. -ões) L5; 42
assunto (subst.) LE5; 87
astronomia (subst.) LE6; 96
até (prep.) L2; 13
atenção (f. subst. -ões) LE6; 93
atendeu (vb atender) L6; 44 LE6; 98
ativa (adj.) LE2; 68
ativamente (adv.) L6; 53
atividade(s) (f. subst.) L2; 8
atlântica (adj.) LE4; 84
atlântico (adj.) LE4; 84
ator (subst.) LE5; 85
atração (f. subst. -ões) L1; 5
atrás d(o) (prep.) L4; 32
atrasado/a (adj.) L2; 9
através (prep.) L5; 41
atravessando (vb atraves-sar) LE4; 83
atriz (f. subst.) L6; 50
atual (adj.) LE1; 65
atualizado/a (adj.) LE6; 96
atualmente (adv.) LE2; 71
auditório (subst.) LE5; 85
aula (subst.) L2; 9
aumentar (subst.) L5; 36
australiano/a (adj.) LE1; 66
avança (vb avançar) R2; 99
avenida (subst.) L4; 27
aves (subst.) L3; 17
avião (m. subst. -ões) L4; 28
aviso (subst.) R1; 57
avó (subst.) L6; 53
azar (m. subst.) R2; 100
azeitona (subst.) LE6; 96
azul (adj.) L4; 32

B

bacon (m. subst.) L2; 13
bagagem (f. subst.) L4; 23
bairro (subst.) L5; 34
baixo/a (adj.) L4; 27
ballet (m. subst.) L6; 44; LE5; 85
bancário (subst.) L1; 5
banco (subst.) L2; 9
banda (subst.) L1; 5
bandeja (subst.) L3; 22
banheira (subst.) L4; 24
banheiro (subst.) L4; 30
banho (subst.) L5; 33
banquinho (subst.) L5; 39
bar (m. subst.) L2; 13
barato/a (adj.) L4; 27
barco (subst.) L6; 50
barra (subst.) LE5; 85
bar-restaurante (m. subst.) L5; 35
barro (subst.) LE5; 89; 90
barulhento (adj.) L4; 24
barulho (subst.) L4; 24
barzinho (subst.) L2; 11
base (f. subst.) LE6; 96
básicas/os (adj.) LE6; 94
batata (subst.) L3; 16
bate (vb bater) L5; 35 LE5; 86
batida (subst.) L3; 18
bauru (m. subst.) L3; 17
bazar (m. subst.) LE4; 80
bêbados (adj.) L3; 19
beber (vb.) L2; 13
bebida (subst.) R1; 56
beijo (subst.) LE5; 87
bem (adv.) L2; 7
beneficiada/o (adj.) L5; 41
biblioteca (subst.) L1; 4
bicicletas (subst.) L5; 33
bico (subst.) LE5; 89
bico de obra (subst.) L5; 41
bife (m. subst.) L3; 17
bilhão (-ões) (num.) L4; 32
bilhete (m. subst.) L1; 5
bilheteria (subst.) L4; 28
bis (subst.) L6; 51
bloco (subst.) L2; 10
boa (bom) (adj.) L2; 13
boa noite (subst.) L1; 1
boa tarde (subst.) L1; 1
bola (subst.) L3; 20
bolsa (subst.) L2; 10
bom (adj.) L3;17
bom dia (subst.) L1; 1
bonde (subst.) L4; 30
bonito (adj.) L4; 27
borracha (subst.) L2; 10
branco/a (adj.) LE5; 85
brasileiro/a (adj.) L1; 3
breve (adj.) LE6; 95
brócolis (m. subst.) L3; 17
bucólico (adj.) L4; 31
búfala (m. subst.) L2; 13
bule (m. subst.) L3; 22
busca (subst.) L6; 52
buscar (vb) L6; 43
BUUM! (interj.) L4; 32

C

cá (adv.) L6; 44
cabo (subst.) L4; 24
cachoeira (subst.) LE4; 83
cada um (pron.) L2; 14
cadeira (subst.) L5; 33
caderno (subst.) L2; 10
café (subst.) L6; 44
café da manhã (subst.) R1; 56
cafezinho (subst.) L2; 7
caipirinha (subst.) L3; 15
caipirosca (subst.) L2; 13
caixa (subst.) LE6; 96
calçados (subst.) LE3; 76
calculadora (subst.) L2; 10
calcular (vb) R2; 99
calefação (f. subst. -ões) L4; 24
calejadas/os (adj.) LE6; 96
calendário (subst.) L6; 51
calmo/a (adj.) L6; 45
calorias (subst.) L3; 22
cama (subst.) L4; 24
camarão (m. subst. -ões) L3; 17
camareira (subst.) L4; 30
camelô, o/a (subst.) L1; 2
caminhada (subst.) L4; 28
caminhão (m. subst. -ões) LE5; 88
caminho (subst.) L4; 30
camping (m. subst.) LE4; 82
campo (subst.) L6; 53
canadense (adj.) L1; 2
caneca (subst.) L2; 13
canela (subst.) LE5; 89
caneta (subst.) L2; 10
canja (subst.) L3; 17
cansada/o (adj.) L6; 44
cansativo/a (adj.) L6; 50
canta (vb cantar) L2; 13
cantinhos (subst.) L2; 13
cantor/a (subst.) L1; 5
capacidade (f. subst.) L5; 38
capacitação (f. subst.) L5; 41
capacitados/as (adj.) L5; 41
capital (subst.) L4; 25
cara/o (adj.) LE4; 79
características (subst.) LE4; 84
caramelo (subst.) L3; 17
cardápio (subst.) L3; 17
cargo (subst.) L4; 31 LE6; 94
carinhoso/a (adj.) LE3; 76
carioca (adj.) L6; 53
carnaval (subst.) L6; 51
carne (f. subst.) L2; 13
caro(s) (adj.) L4; 24
carpinteiro (subst.) L5; 41
carreira (subst.) L6; 53
carro (subst.) L1; 5
carro de boi (subst.) L5; 38
cartão (m. subst. -ões) L4; 24
carta(s) (subst.) L4; 29

casa (subst.) L2; 13
casado/a (adj.) LE1; 64
casados (adj.) L6; 45
casal (subst.) L5; 34
casamentos (subst.) LE5; 85
casar-me (vb pron. casar--se) LE6; 96
caso (conj.) R1; 55
categoria(s) (subst.) LE; 84
causa (causar) (vb) L5; 41
causa (subst.) LE2; 71
cavalos (subst.) L4; 31
cedinho (adv.) L2; 12
cedo (adv.) L2; 12
celular (adj.) L2; 11
cem (num.) L1; 6
cenas (subst.) L6; 50
cenoura (subst.) L3; 17
centímetros (subst.) LE5; 89
cento (num.) L1; 6
central (adj.) L4; 30
centro (subst.) L4; 24
certo (adj.) L4; 23
cerveja (subst.) L3; 15
céu (subst.) LE4; 83
chá (m. subst.) L3; 22
chalés (m. subst.) L4; 31
chamar-se (vb) L1; 3
chamo (vb chamar) L1; 2
chances (f. subst.) LE5; 88
chão (m. subst. -ãos) L5; 39
charretes (f. subst.) L4; 31
chave (subst.) L5; 33
chefe (subst.) L2; 10
chegada (subst.) R2; 101
chegamos (vb chegar) L2; 12
cheiro (subst.) L4; 24
chinês (adj.) L1; 2
chocolate (m. subst.) R1; 58
churrascaria (subst.) L2; 13
churrasco (subst.) L3; 21
chuveiro (subst.) L4; 23
cidade (f. subst.) L1; 4
cidade grande (subst.) LE2; 71
cidades (subst.) L4; 32
clima (subst.) L4; 23
cinco (num.) L1; 6
cinema (m. subst.) L2; 8
cinquenta (num.) L1; 6
cinzas (subst.) L2; 13
civil (adj.) LE1; 64
clara/o (adj.) L4; 28
classe (f. subst.) L3; 20
clássica/o (adj.) LE3; 77
cliente (m. subst.) L2; 13
clima (subst.) L6; 50
clube (m. subst.) L3; 19
coberta/o (adj.) L4; 31
cobertura (subst.) LE5; 85
coca (subst.) LE3; 77
coco (subst.) L3; 18
cofre (m. subst.) L4; 24
coisa (subst.) L2; 7
coleção (f. subst. -ões) LE6; 96
colega (m/f subst.) L1; 6
colégio (subst.) L4; 26
coleta (subst.) L5; 40
coletivo (adj.) LE2; 72
colhe (vb colher) LE6; 96
colher de chá, a (f. subst.) L3; 22
colher de sobremesa, a (f. subst.) L3; 22
colher de sopa, a (f. subst.) L3; 22
colher (f. subst.) L3; 22
colherinha, a (subst.) L3; 22
colocar (vb) L5; 39
colonial (adj.) L4; 25
com (prep.) L1; 3
comando (subst.) L1; 4
combinado (vb combinar) L2; 8
combustível (m. subst.) L5; 38
come (vb comer) L3; 15
começar (vb) L1; 3
comédia (subst.) L2; 13
comemoram (vb comemorar) R1; 57
comer (vb) L3; 15
comercial (adj.) L5; 35
comercial (subst.) L6; 50
comerciante (subst.) L1; 5
comércio (subst.) R1; 57
comida (subst.) L5; 37
comigo (prom.) L6; 45
como (adv.) L1; 1
cômodos (subst.) L5; 35
comparação (f. subst. -ões) L4; 27
comparar (vb) L5; 33
comparativo (subst.) L5; 38
completa/o (adj.) L3; 21
completar (vb) L1; 3
completo/a (adj.) LE1; 64
complicada/o (adj.) L5; 41
comprar (vb) L2, 11
compras (subst.) L2; 12
compromisso (subst.) L6; 47
computação (f. subst. -ões) LE3; 77
computador (subst.) L2; 10
comum (adj.) LE5; 89
comunicação (f. subst. -ões) L2; 14
comunicar-se (vb pron.) L1; 1
comunidade (f. subst.) L5; 41
concerto (subst.) L2; 8
concorda (vb concordar) R1; 57
condomínio (subst.) L5; 35
confeitaria (subst.) LE4; 84
confirmar (vb) L4; 23
confortável (adj.) L5; 38
conforto (subst.) L4; 30
conhecer (vb) L1; 1
conjugações (f. subst. -ão) L6; 47
conjugado (vb conjugar) L6; 47
conjunto (subst.) L5; 41
consecutivo/a (adj.) L2; 13
conseguiram (vb conseguir) LE5; 86
consome (vb consumir) LE6; 96
construção (f. subst. -ões) L4; 25
construção civil (f. subst. -ões) L5; 41
construir (vb) L5; 41
consulte (vb consultar) L4; 30
consultor/a (subst.) L1; 2
consultório (subst.) LE6; 94
conta (subst.) R1; 57
conta (vb contar) LE4; 84
contador (subst.) LE6; 96
contentamento (subst.) L5; 33
contente (adj.) L3; 21
continuar (vb) L2; 14
contramão (f. subst. -ãos) L4; 32
contrário (subst.) LE6; 98
convenção (f. subst. -ões) LE1; 64 L4; 24
conversa L2; 13; L3; 20
conversar (vb) L2; 9
convidar (vb) L2; 7
convite (m. subst.) L2; 12
coordenação (f. subst. -ões) L5; 41
copo (m. subst.) L3; 22
cor (f. subst.) LE5; 89
coreano/a (adj.) L1; 2
corpo (subst.) LE5; 89
correio (subst.) L4; 23
correr (vb) L3; 19
corresponde (vb corresponder) L5; 35
correspondência (subst.) L4; 28
correspondente (adj.) L1; 4
correspondente (subst.) LE1; 65
corresponder-me (vb pron.) LE3; 76
correto (adj.) L3; 21
corretor (subst.) L5; 35
corrida (subst.) L3; 19
corrija (vb corrigir) LE5; 89
cortina (subst.) L5; 39
costume (m. subst.) L6; 50
couve-flor (f. subst.) L3; 17
couvert (m. subst.) L2; 13
cozinha (subst.) LE6; 98
cozinha (vb) LE6; 96
cozinhar (vb) L5; 33
cozinheiro/a (subst.) L1; 2
crédito (subst.) L4; 24
crematório (subst.) L2; 13
creme (m. subst.) L3; 17
cresceu (vb crescer) L6; 53
criada (adj.) L6; 53
criam (vb criar) L2; 13
criança (subst.) LE6; 94; 96
crianças (subst.) L4; 28
cristalina (adj.) L4; 31
crônicas (subst.) L6; 53
cronograma (m. subst.) L5; 41
cuidar (vb) LE3; 77
cujas (pron.) L4; 25
cumprimentar (vb) L1; 1
curaram (vb curar) LE6; 96
curso (subst.) LE1; 65
cursos (subst.) L5; 41
custo (subst.) L5; 41

D

dadas/os (adj.) L6; 54
dado (subst.) LE6; 87, 99
dados (subst.) LE1; 64
dançar (vb) L2; 11
danceteria (subst.) L2; 13
daqui (contr. prep. de + adv. aqui) L4; 23
daqui a (prep.) L6; 49
dar (vb) L1; 1
das (contr. prep. de + as) L2; 9
data (subst.) LE1; 65
de (prep.) L1; 5
de frente (adv.) L4; 23
de frente para (prep.) L5; 37
de fundo (adv.) L4; 23
de idade (adj.) L5; 34
de manhã (adv.) L2; 8
de noite (adv.) L2; 8
de tarde (adv.) L2; 8
de vez em quando (adv.) L6; 43
debate (m. subst.) LE4; 80
decidem (vb decidir) L2; 13
deck (m. subst.) L4; 31
decoração (f. subst. -ões) L5; 39
decorar (vb) L6; 53
deferência (subst.) LE6; 94

déficit (m. subst.) L5; 41
definição (f. subst. -ões) LE3; 75
deixou (vb deixar) L6; 53
dela (pron., contr. de + ela) L4; 23
dele (pron., contr. de + ele) L4; 27
demanda (subst.) L5; 41
demonstrativos (adj.) L2; 10
densidade demográfica (subst.) L4; 32
dentadura (subst.) LE6; 94
dentista (subst.) L2; 9
dentro de (prep.) L3; 20
depender (de) (vb) LE6; 96
depois (adv.) L4; 25
depois de (prep.) L3; 21
deputados federais (subst.) LE4; 84
descer (vb) L4; 30
descontentamento (subst.) L5; 33
descontente (adj.) L3; 21
descrever (vb) L5; 33
desculpe (vb desculpar) L5; 37
desde (prep.) L6; 53
desejos (subst.) L4; 23
desenhe (vb) L5; 39
desenhos (subst.) LE2; 69 L5; 36
desenvolve-se (vb pron. desenvolver-se) L5; 41
desinforma (vb desinformar) LE6; 96
desistir (de) (vb) L4; 28
desordem (f. subst.) L4; 30
despedir-se (vb pron.) L1; 1
despesas (subst.) L5; 37
desta (de + esta) (contr.) L5; 33
destaque (m. subst.) L6; 53
destino (subst.) L2; 13
devagar (adv.) L4; 29
devem (vb dever) L5; 41
deve-se (vb) LE4; 84
dez (num.) L1; 6
dezembro (subst.) L6; 51
dezenove (num.) L1; 6
dezesseis (num.) L1; 6
dezessete (num.) L1; 6
dezoito (num.) L1; 6
dia (m. subst.) LE1; 61
dia a dia (m. subst.) L6; 43
diagonal (adj.) R1; 55
diálogo (subst.) L1; 1
diária (f. subst.) L4; 24
dias (subst.) L2; 8
dicionário (subst.) LE4; 84
didáticos (adj.) LE3; 75
diferença (subst.) R2; 100
diferente (adj.) L5; 35
difícil (adj.) L4; 27
digestivo/a (adj.) LE6; 96
diminuir (vb) L5; 37
dinheiro (subst.) L2; 9
direção (f. subst. -ões) L4; 23
direita (adj.) L4; 25
diretor (subst.) L4; 29
dirigindo (vb dirigir) L4; 30
discussão (f. subst. -ões) LE4; 81
discutir (vb) L4; 28
dispõe (vb dispor) LE4; 84
disponível (adj.) LE5; 85
Disque-Feijoada (subst.) L3; 21
disse (vb) LE6; 96
distância (subst.) R1; 57
dividir (vb) L4; 28
divisão (f. subst. -ões) L5; 35
divorciado/a (adj.) LE3; 76
diz (vb dizer) L2; 14
doce (adj.) L3; 18
doceria (subst.) L4; 26
doces (m. subst.) L3; 17
documento (subst.) L4; 24
documento de identidade (subst.) LE1; 64
doente (adj.) L6; 50
dois (num.) L1; 6
dólar americano (m. subst.) LE1; 66
dólar australiano (subst.) LE1; 66
dólar canadense (subst.) LE1; 66
dólares (subst.) L4; 32
doméstico (adj.) L4; 31
domicílios (subst.) L5; 40
domingo (subst.) L2; 8
dona (subst.) L6; 44
dona de casa (subst.) L6; 44
dor de cabeça (f. subst.) L3; 21
dormir (vb) L3; 20
dormitório (subst.) L5; 33
dos (contr. prep. de + os) L2; 13
dotados/as (adj.) LE4; 84
doze (num.) L1; 6
drogaria (subst.) L4; 30
duas (num.) L2; 9
ducha (subst.) LE4; 84
duplo/a (adj.) L4; 23
dura/o (adj.) L4; 24
durante (prep.) L5; 37
durex (m. subst.) L2; 10
dúvida (subst.) L2; 14
duzentos (num.) L4; 32

E

e (conj.) L1; 1
é (vb ser) L1; 1
ecologia (subst.) L6; 50
economia (subst.) LE4; 81
econômico/a (adj.) L5; 38
economizar (vb) LE2; 71
editor (subst.) LE3; 75
efetivo/a (adj.) L5; 41
eis (adv.) L6; 50
ele/ela/eles/elas (pron.) L1; 3
eleição (f. subst. -ões) L2; 13
elementos (subst.) L2; 11
elétrica/o (adj.) L5; 40
eletrônico/a (adj.) L2; 13
elevador (subst.) L4; 24
em (prep.) L1; 1
em cima d(a) (prep.) L5; 36
em frente d(a) (prep.) L5; 36
em geral (adv.) L6; 50
em meio a (prep.) LE4; 84
em ordem (adv.) LE6; 98
em ponto (adv.) L6; 50
em seguida (adv.) L6; 50
emagrecer (vb) L3; 20
e-mails (m. subst.) L3; 19
embaixo d(a) (prep.) L5; 36
embalo (subst.) L2; 13
emissoras (subst.) LE6; 96
empregada (subst.) L6; 44
empregada doméstica (subst.) L4; 27
empregado (vb empregar) LE5; 89
emprego (subst.) L6; 44
empresário (subst.) L4; 31
empresas (subst.) LE5; 85
encanada/o (adj.) L5; 40
encanador (subst.) L5; 41
encontram (se) (vb pron. encontrar-se) L6; 52
encontrar (vb) L4; 32
encontros (subst.) L2; 7
endereço (subst.) R1; 56
energia (subst.) L5; 40
enfermeira (subst.) L1; 4
engenheiro/a (subst.) L4; 27
enquanto (conj.) L2; 13
ensino médio (subst.) L6; 50
ensolarado (adj.) L5; 35
ensopado (adj.) L3; 17
então (adv.) L2; 8
entendi (vb entender) L2; 14
entrada (subst.) L2; 14
entrar (vb) L4; 29
entre (prep.) L5; 36
entreviste (vb entrevistar) L6; 51
envelheci (vb envelhecer) LE6; 96
envolvimento (subst.) L5; 41
época (subst.) LE6; 96
equipados (adj.) L4; 31
equipamentos (subst.) LE4; 84
equipe (f. subst.) L4; 31
errado/a (adj.) LE2; 72
erre (vb errar) R1; 55
ervilhas (subst.) L3; 17
és (vb ser) L1; 3
escocesa (adj.) LE4; 84
escola (subst.) L1; 4
escolares (adj.) L6; 51
escolha (vb escolher) L1; 4
escreve (vb escrever) L1; 1
escritor (subst.) LE5; 85
escritório (subst.) L3; 19
escuro/a (adj.) L4; 24
esgotamento sanitário (subst.) L5; 40
espanhol (adj.) LE6; 96
especiais, especial (adj.) L2; 13
especialidade (f. subst.) L3; 21
especializada/o (adj.) L5; 41
especialmente (adv.) L5; 41
espécie (f. subst.) LE5; 89
espelhado (adj.) LE5; 85
espelho (subst.) L5; 36
espera (subst.) L3; 20
esperar (vb) L3; 15
espessura (subst.) L2; 13
espetáculo (subst.) LE5; 85
espeto (subst.) L3; 15
esportes (m. subst.) LE3; 77
esportivo/a (adj.) LE3; 76
esposa (subst.) LE3; 75
esquiar (vb) LE3; 77
esquina (subst.) L4; 25
essencialmente (adv.) L6; 53
esses (esses, essa) (pron.) L2; 13
esta (este, esta) (pron.) LE5; 85
estação (f. subst. -ões) L3; 17
estacionamento (subst.) L4; 24
estacionar (vb) L4; 32
estadia (subst.) LE4; 84
estádio (subst.) L4; 30
estado civil (subst.) LE1; 64
estados (subst.) LE1; 63
estágio (subst.) LE5; 85
estância (subst.) LE4; 83
estante (f. subst.) L5; 36
estatística (subst.) L5; 40
este(s) (pron.) L1; 4
estou (vb estar) L2; 9 L2; 12

estrangeiros (adj.) L3; 17
estreito/a (adj.) L5; 39
estrelas (subst.) L4; 31
estudante(s) m/f (subst.) L1; 3
estudar (vb) L1; 3
estúdio (subst.) L6; 50
etc. L3; 20
eu (pron.) L1; 1
euro (subst.) LE1; 66
europeia (europeu) (adj.) LE1; 66
evento (subst.) L4; 30
evolução (f. subst. -ões) L5; 40
examine (vb examinar) L2; 13
ex-campeã (subst.) LE5; 85
exceções (f. subst. -ão) L1; 4
excelente (adj.) LE4; 84
excesso (subst.) L4; 32
exclusão (f. subst. -ões) L5; 40
excursão (f. subst. -ões) L2; 12
executivo (adj.) LE; 84
exemplo (subst.) L2; 10
exerceu (vb exercer) L6; 53
exercício (subst.) L2; 11
exigem (vb exigir) L5; 41
ex-marido (subst.) L2; 10
expedidor (subst.) LE1; 64
experiência (subst.) L6; 50
explicação (f. subst. -ões) LE6; 96
explique (vb explicar) L4; 30
exposição (f. subst. -ões) L5; 37
expressar (vb) L4; 23
expressão (f. subst. -ões) LE4; 80
externas (externo/a) (adj.) L6; 50

F

fábrica (subst.) L6; 44
fabricação (f. subst. -ões) L5; 38
faca (subst.) L3; 22
faça (vb fazer) L1; 4
fácil (adj.) L5; 34
facilidades (f. subst.) LE4; 84
facilmente (adv.) LE4; 81
faculdade (f. subst.) L2; 11
falar (vb) L1; 3
faleceu (vb falecer) L6; 53
falta (subst.) L5; 41
faltar (vb) L4; 30
família (subst.) L3; 19
familiar (adj.) L2; 13
familiaridade (f. subst.) LE6; 94
famosa/o (adj.) L5; 37
farmacêutico (subst.) L6; 53
farmácia (subst.) L1; 4
farofa (subst.) L3; 16
fases (f. subst.) L5; 41
fato (subst.) LE5; 89
fauna (subst.) LE4; 83
favor (m. subst.) L4; 23
fax (m. subst.) LE5; 85
faxineira (subst.) L6; 44
fazenda (subst.) L6; 50
fazendeiro (subst.) L4; 31
fazer (vb) L2; 12
fecha (vb fechar) L2; 13
fechado, -a (adj.) L6; 52
feijão (m. subst. -ões) L3; 17
feijoada (subst.) L3; 15
feio/a (adj.) L5; 35
feira (subst.) LE6; 92
feita (adj.) L5; 35
fêmea (adj.) LE5; 89
feminino/a (adj.) L2; 10
feriados (subst.) L4; 31
férias (subst.) L4; 26
festa (subst.) L6; 46
festival (m. subst.) L1; 5
fevereiro (subst.) L6; 51
ficar (vb) L4; 24
fichas (ficha) (subst.) L5; 34
fila (subst.) LE2; 72
filé (m. subst.) L3; 15
filha (subst.) L3; 19
filhos (subst.) L4; 27
filme (m. subst.) L1; 5
fim de semana (m. subst.) L2; 12
final (m. subst.) L5; 41
finalmente (adv.) L6; 44
financeiro/a (adj.) L6; 50
fins (m. subst.) LE3; 77
firma (subst.) LE5; 87
fixo (adj.) LE4; 82
flat (m. subst.) LE5; 85 L4, 31
flor (f. subst.) L5; 36
flora (subst.) LE4; 83
flores (f. subst.) L5; 33
floresta (subst.) LE; 84
fogão (m. subst. -ões) L5; 40
foge (vb fugir) L6; 52
folga (subst.) L2; 11
folhas (subst.) LE5; 89
fome (f. subst.) L3; 15
fone (m. subst.) L3; 21
fonte (f. subst.) L5; 40
fora (adv.) L6; 43
força (subst.) LE5; 90
Ford de bigode (m. subst.) L5; 38
formas (forma) (subst.) L5; 36
forme (vb formar) L6; 54
formou-se (vb pron formar-se) L6; 53
foto (f. subst.) L1; 5
franca/o (adj.) L6; 50
francês (adj.) L1; 2
franco suíço (subst.) LE1; 66
frango (subst.) L3; 17
frases (frase) (f. subst.) L2; 7
freguês (subst.) L3; 21
frente a(o) (prep.) L4; 31
frequência (subst.) LE6; 91
frescas (fresco, a) (adj.) LE3; 73
frigobar (m. subst.) L4; 24
frio (adj.) L3; 22
frita/o (fritas) (adj.) L3; 16
frutas (subst.) L3; 17
fui (vb ser) L5; 37
fumar (vb) LE6; 91 R1; 58
funcionar (vb) L2; 13
funcionário (subst.) L6; 53
fundada (vb fundar) L4; 25
fundos (adj.) LE4; 79
futebol (subst.) L2; 8
futuro imediato (subst.) L2; 11
futuros (adj.) L5; 41

G

galhinhos (subst.) LE5; 89
ganhou (vb ganhar) L6; 53
garagem (f. subst.) L5; 33
garantiram (vb garantir) L2; 13
garçom (m. subst.) L3; 16
garfo (subst.) L3; 22
garrafa (subst.) R2; 100
gás (m. subst.) L3; 16
gastaria (vb gastar) L4; 31
gelada/o (adj.) L3; 16
geladeira (subst.) L4; 24
gelado/a (adj.) LE6; 98
gente (f. subst.) L1; 5
geração (f. subst. -ões) L5, 41
geral (adj.) LE2; 71
geralmente (adv.) L6; 44
gerente (subst.) L4; 30
ginástica (subst.) L6; 50
golfe (m. subst.) LE; 83
gostar (vb) L3; 17
gosto (vb gostar) L3; 15
gostosa/o (adj.) L3; 17
governo (subst.) LE1; 64
graças a Deus (interj.) L6; 44
gráfico (subst.) L5; 40
grampeador (subst.) L2; 10
grande (adj.) L3; 17
grande público (subst.) L6; 53
gratinada/o (adj.) L3; 17
gravação (f. subst. -ões) L1; 5
gravador (subst.) L5; 36
gravar (vb) L6; 50
gravatas (subst.) LE6; 96
grelhado/a (adj.) L3; 15
grêmio (subst.) L6; 46
grupo (subst.) L1; 5
guaraná (m. subst.) LE3; 77
guarda (subst.) L4; 32
guarda-livros (subst.) LE6; 96
guardanapo (subst.) L3; 22
guarda-roupa (subst.) LE6; 96
guarnição (f. subst. -ões) L3; 17
guia (subst.) L6; 50

H

há (vb haver) L2; 14
habitação (f. subst. -ões) LE5; 90
habitacional (adj.) L5; 40
habitantes (subst.) L4; 32
hábito (subst.) LE5; 89
hambúrguer (m. subst.) L3; 20
haver (vb) L4; 30
hidroginástica (subst.) L4; 29
hífen (m. subst.) LE1; 61
histórico (adj.) L4; 25
hobby (m. subst.) LE1; 65
hoje (adv.) L2; 8
holandesa (adj.) L1; 2
homem (subst.) LE6; 94
homenageado/a (adj.) LE6; 96
homenagem (f. subst.) LE; 84
homework (m. subst.) LE2; 72
horário (subst.) L1; 5
hora(s) (subst.) L2; 7
horizontal (adj.) R1; 55
horrível (adj.) LE3; 75
horta (subst.) LE6; 96
hortênsias (subst.) L4; 31
hospedado/a (adj.) L4; 30
hospedagem (f. subst.) LE4; 83
hóspede (subst.) LE; 64
hoteleiro (subst.) L1; 5
hotel (subst.) L4; 23

I

idade (f. subst.) L6; 44
ideal (adj.) L4; 31
ideia (subst.) L5; 42
identidade (f. subst.) LE1; 64
identificação (f. subst. -ões) LE1; 65
identifique (vb identificar) L2; 13
iene japonês (m. subst.) LE1; 66
igreja (subst.) L4; 29
iluminação (f. subst. -ões) L2; 13
iluminado/a (adj.) LE5; 85
ilustração (f. subst. -ões) L1; 4
imagine (vb imaginar) L3; 20; L5; 34; R1; 55
imediatamente (adv.) R2; 99
imensas (adj.) LE2; 71
imigrante (subst.) L4; 25
imobiliária (subst.) L5; 34
imóvel (m. subst.) L5; 35
impecável (adj.) LE5; 85
imperativo (subst.) L4; 29
importante (adj.) L4; 30
incluído (adj.) L3; 17
Independência (subst.) L6; 51
indicada/o (adj.) L4; 26
índice (m. subst.) LE4; 84
indique (vb indicar) L2; 14
indireta (adj.) L2; 13
individual (adj.) LE2; 72
indústria (subst.) LE3; 76
inesquecíveis (adj.) L4; 31
inexcedível (adj.) L5; 41
infância (subst.) L6; 53
infinitivo (subst.) L2; 11
informação (f. subst. -ões) L4; 23
informado/a (adj.) LE6; 96
infraestrutura (subst.) L4; 25
inglês (adj.) L1; 3
início (subst.) L5; 41
iniciou (vb iniciar) L6; 53
inquilino (subst.) R1; 57
insista (vb insistir) R1; 57
instalado/a (adj.) LE6; 96
instituto (subst.) LE1; 63
instruções (f. subst. -ão) R1; 55 R2; 99
instrui (vb instruir) LE6; 96
inteiro (adj.) L4; 31
interessados (adj.) L6; 50
interessante (adj.) L5; 34
interessar (vb) L5; 34
interior (subst.) L4; 31
interna (adj.) L5; 35
internacional (adj.) LE1; 66
internet (f. subst.) L4; 24
interpretam (vb interpretar) L2; 13
intruso (subst.) LE5; 90
inverno (subst.) L6; 51
investimento (subst.) L4; 31
investir (vb) L4; 31
ir (vb) L2; 8
irmã (f. subst. -ãs) L2; 7
irmão (m. subst. -ãos) L2; 10
irregular (adj.) L1; 3
isso (pron.) L6; 44
isto (pron.) LE6; 92
italiano(s) (adj.) L1; 3

J

já (adv.) L5; 34
jaburu (subst.) LE5; 89
jacaré (m. subst.) L6; 50
janeiro (subst.) L6; 51
janela (subst.) L4; 29
jantar (vb) L2; 8
jantar (m. subst.) R1; 57
japonesa (adj.) L3; 20
jardim (m. subst.) L2; 13
jardineiro (subst.) LE5; 90
jeito (subst.) L4; 32
joalheria (subst.) L4; 30
joão-de-barro (subst.) LE5; 89
jogada (subst.) R2; 99
jogador (es) (subst.) R2; 99
jogar (vb) L3; 20
jogo (subst.) L2; 8
jogo da velha (subst.) R1; 55
jogo do sapo (subst.) R2; 99
jornada (subst.) L6; 50
jornal (m. subst.) L1; 2
jornalista, o/a (subst.) L1; 2
jornalística/o (adj.) L6; 53
jovens (jovem) (subst.) L6; 50
judô (subst.) L6; 44
julho (subst.) L6; 51
junho (subst.) L6, 51
junina/o (adj.) L6; 51
juntos (adj.) L2; 11

K

km (subst.) L4; 25

L

lá (adv.) L4; 26
lacunas (subst.) L3; 18
lado (subst.) L4; 24
lago (subst.) L4; 31
lanche (m. subst.) L3; 20
lanchonete (subst.) L3; 17
lápis (m. subst.) L2; 10
laptop (m. subst.) L5; 36
laranja (subst.) L3; 15
laranjada (subst.) LE3; 77
lareira (subst.) L4; 31
lares (subst.) L5; 40
lasanha (subst.) L3; 17
lavabo (subst.) L5; 34
lavagem (f. subst.) L2; 13
lavar (vb) L5; 33
lava-roupa (subst.) L5; 40
lazer (m. subst.) L4; 31
legumes (m. subst.) L3; 15
leia (vb ler) L1; 4
leitor (subst.) LE3; 76
lembrança (subst.) L6; 52
lembre-se (vb pron. lembrar-se) L1; 3
lençóis (lençol) (subst.) L4; 30
ler (vb) L4; 29
leste (m. subst.) LE4; 84
letra (subst.) L3; 22
levantar (vb) L6; 43
levantei (me) (vb pron. levantar-se) L6; 50
levar (vb) L3; 20
lhe (pron.) L4; 32
libra esterlina (subst.) LE1; 66
lição (f. subst. -ões) L1; 1
ligadas/os (adj.) LE3; 78
ligar (vb) L1; 5
limão (m. subst. -ões) LE6; 96
limonada (subst.) LE3; 77
limpa/o (adj.) LE6; 92
limpo/a (adj.) L4; 30
lindos (adj.) L4; 31
língua (subst.) L1; 5
linha (subst.) R1; 55
lista (subst.) LE5; 85
literatura (subst.) L6; 53
litoral (m. subst.) LE; 84
living (m. subst.) L5; 33
livre (adj.) L2; 12
livro (subst.) L1; 4
livro-texto (subst.) LE2; 72
lixo (subst.) L5; 40
locação (f. subst. -ões) L4; 31
local (m. subst.) L4; 25
localização (f. subst. -ões) L4; 23
localizar (vb) L5; 33
logo (adv.) L4; 32
loja (subst.) L4; 28
lombo (subst.) L3; 17
longa/o (adj.) LE6; 95
longe (adv.) L4; 25
longe de (prep.) L4; 31
longevidade (f. subst.) LE6; 96
loucura (subst.) L6; 50
lousa (subst.) L5; 36
Ltda. (adj.) L4; 31
lucidez (f. subst.) LE6; 96
lúcido/a (adj.) LE6; 96
lucros (subst.) L4; 31
lugar (m. subst.) L1; 4
luxo (subst.) L5; 41
luxuoso (adj.) L5; 40
luz (f. subst.) L4; 30

M

madrugada (subst.) LE6; 95
mãe (subst.) L2; 13
magazines (m. subst.) LE3; 76
magnífica/o (adj.) L4; 31
maio (subst.) L6; 51
maior (adj.) L4; 27
mais (adv.) L2; 9
malpassado (adj.) L3; 16
mamãe (subst.) L2; 13
mamão (m. subst.) LE6; 96
mandei (vb mandar) L5; 37
mandioca (subst.) LE6; 96
mando (vb mandar) LE5; 88
maneira (subst.) LE6; 94
mangues (m. subst.) LE4; 84
manhã (subst.) L2; 8
manobrista (subst.) L2; 13
mantém (vb manter) LE6; 96
manual (adj.) L5; 41
mão de obra (f. subst.) L5; 41
mão dupla (f. subst.) L4; 32
mapa (m. subst.) L4; 30
mar (m. subst.) L4; 24
maracujá (m. subst.) L3; 17
maravilhosos/as (adj.) LE4; 83
marcenaria (subst.) L5; 41
marchas (subst.) L5; 38
março (subst.) L6; 51
marido (subst.) L2; 8
marque (vb marcar) L1; 6
mas (conj.) L3; 15
masculino (adj.) L2; 10
massagens (f. subst.) LE4; 84
massas (subst.) L4; 28
mata (subst.) L6; 50
Mata Atlântica (subst.) LE4; 84
matemática (subst.) L6; 50
material (m. subst.) LE5; 89
matriculados/as (adj.) L5; 41
máxima/o (adj.) L4; 32
me (pron.) L1; 2
mecânico (subst.) LE1; 64

mede (vb medir) LE5; 89
média (adj.) LE; 84
médica (subst.) L1; 2
medicinal (adj.) LE6; 96
médico (subst.) L1; 3
meia (adj.) L2; 9
meio (subst.) L2; 8
meio-dia (m. subst.) L2; 8
melhor (adj.) L2; 13
melhorar (vb) L5; 41
menor (adj.) L4; 27
menos (adv.) L2; 9
mercado (subst.) LE1; 66
mérito (subst.) LE4; 84
mês (m. subst.) L5; 38
mesa (subst.) L2; 14
meses (m. subst.) L4; 31
mesmo (subst.) L4; 26
mesmo (adv.) L6; 44
meta (subst.) R2; 99
metade (f. subst.) L4; 31
metódica/o (adj.) L6; 50
metrô (subst.) L2; 13
meu (pron.) L1; 1
meu Deus (interj.) LE6; 93
microempresário (subst.) L1; 2
micro-ônibus (m. subst.) L4; 30
mil (num.) L4; 32
milhão, (-ões) (num.) L4; 32
milho (subst.) LE6; 96
mim (pron.) L3; 15
mineiro (adj.) L4; 31
mineral (adj.) L3; 16
minha (pron.) L2; 7
mínimo/a (adj.) L4; 31
ministro (subst.) LE4; 81
minuto (subst.) L2; 13
mirante (m. subst.) L4; 30
misto/a (adj.) L3; 15
misturados/as (adj.) LE4; 81
mobiliado (adj.) LE5; 85
moçada (subst.) L2; 13
moço (subst.) L4; 32
moda (subst.) L6; 50
modelo (subst.) L5; 38
moderno (adj.) L5; 38
modo (subst.) L4; 30
moedas (subst.) LE1; 66
mofo (subst.) L4; 24
molho (subst.) L3; 17
momento (subst.) L4; 31
monitor (subst.) L5; 41
montanha (subst.) L4; 31
mora (vb morar) L1; 1
moradia (subst.) L5; 33
moradores (subst.) L5; 41
morreu (vb morrer) L6; 53
morte (f. subst.) L2; 13
morto/a (adj.) L6; 53
mosquitos (subst.) L6; 50
mostrou (vb mostrar) L6; 53
motivo (subst.) LE1; 64
moto (f. subst.) LE4; 82
motorista (subst.) L1; 5
móveis (subst.) L5; 41
muçarela (subst.) L2; 13
mudam (vb mudar) L3; 20
mudança (subst.) LE5; 88
muito (adv.) L2; 7
mulher (f. subst.) L2; 8
multa (subst.) L4; 32
múltiplos/as (adj.) L2; 13
mundo (subst.) LE3; 75
municípios (subst.) LE4; 84
musculação (f. subst. -ões) L6; 43
museus (museu) (subst.) L3; 18
música ambiente (subst.) L4; 24
música popular (subst.) L2; 13
musical (subst.) L2; 13
músicos (subst.) L2; 13

N

na frente (adv.) LE6; 98
nacionais (nacional) (adj.) L3; 17
nacionalidade (f. subst.) L1; 2
nada (pron.) L4; 29
namorado(s) (subst.) L2; 13
não (adv.) L1; 1
naquele (adv.) (contr. em + aquele) L5; 35
nas (contr. em + as) L1; 4
nasceu (vb nascer) L6; 53
nascimento (subst.) LE1; 65
natação (f. subst. -ões) L4; 28
nativo/a (adj.) LE4; 84
natural (adj.) LE4; 83
natureza (subst.) LE4; 84
necessariamente (adv.) LE6; 94
negócio (subst.) LE1; 64 L4; 31
nela (contr. em + ela) LE5; 87
nem (conj.) L4; 32
nenhum (pron.) L4; 32
nervoso/a (adj.) L6; 45
nessa (contr. em + essa) L2; 13
nesta (contr. em + esta) L4; 32
neste (contr. em + este) L4; 31
ninguém (pron.) LE6; 96
ninho (subst.) LE5; 89
nível (m. subst.) LE6; 94
noite (f. subst.) L2; 8
nome completo (subst.) LE1; 64
nono (adj.) L2; 13
normais (normal) (adj.) LE5; 89
normalmente (adv.) LE5; 89
norte (m. subst.) LE3; 76
nos (pron.) L6; 52
nós (pron.) L1; 3
nossa (interj.) L6; 44
nosso (adj.) L2; 10
nota (subst.) L4; 24
noticiários (subst.) LE6; 96
notícias (subst.) LE1; 65
nova/o (adj.) L3; 18
novamente (adv.) L2; 14
nove (num.) L1; 6
novecentos/as (num.) L4; 32
novela (subst.) L6; 50
novembro (subst.) L4; 24
noventa (num.) L1; 6
num (contr. em + um) L2; 13
número(s) (subst.) L1; 6
nunca (adv.) L6; 46

O

o (art.) L1; 1
o (pron.) L6; 48
o que (pron.) L1; 1
objetivo (subst.) L5; 41
objetos (subst.) LE3; 77
obra (subst.) L5; 41
obrigado, -a (adj.) L2; 8
obrigatória (adj.) L4; 32
observe (vb observar) L1; 4
ocorre (vb ocorrer) LE6; 96
óculos (subst.) L2; 10
ocupado/a (adj.) L3; 20
oeste (subst.) L5; 34
oferecem (vb oferecer) L2; 13
ofícios (subst.) L6; 53
oh! (interj.) L6; 52
oi (interj.) L2; 7
oitenta (num.) L1; 6
oito (num.) L1; 6
oitocentos/as (num.) L4; 32
o.k. (adv.) L4; 30
olá (interj.) L6; 52
óleo (subst.) L3; 17
olhe (vb olhar) L4; 32
onde (adv.) L1; 1
ônibus (subst.) L4; 25
ontem (adv.) L5; 36
onze (num.) L1; 6
operário (subst.) L5; 41
ordens (ordem) (subst.) L4; 24
órfã (subst.) L6; 53
organize (vb organizar) L1; 4
orquídeas (subst.) LE3; 77
otimismo (subst.) LE6; 96
otimista (adj.) LE6; 96
ótimo/a (adj.) L2; 8
ou (conj.) L3; 15
ouça (vb ouvir) L1; 4
outono (subst.) L6; 51
outro(s) (pron.) L3; 19
outubro (subst.) L6; 51
ovo (subst.) L6; 45

P

paciência (subst.) R1; 58
paciente (subst.) LE3; 75
padaria (subst.) L4; 26
padroeira (subst.) L6; 51
pães (m. subst. -ão) LE4; 84
pagamento (subst.) L6; 53
pagando (vb pagar) L6; 50
página (subst.) L2; 14
pai (subst.) L6; 53
país (m. subst.) L1; 4
palavra (subst.) L5; 36
palavras cruzadas (subst.) LE3; 75
palestras (subst.) LE4; 84
paletó (subst.) L3; 18
palmito (subst.) L3; 17
papagaio (subst.) L6; 45
papel (m. subst.) L2; 13
para (prep.) L1; 5
parada (subst.) L4; 32
paraíso (subst.) L4; 31
paranaense (adj.) L4; 25
parapsicólogo (subst.) LE6; 96
parar (vb) L4; 29
parece (vb parecer) L5; 34
parede (f. subst.) L5; 36
pares (m. subst.) L2; 14
parmesão (subst.) L2; 13
parque (m. subst.) L4; 25
parte (f. subst.) LE5; 89
participação (f. subst. -ões) LE4; 84
participando (vb participar) L6; 50
participativo/a (adj.) L5; 41
particular (adj.) L6; 44
partida (subst.) L5; 41
partir (vb) L2; 13
passada (adj.) L6; 45
passado (adj.) L3; 16
passageiros (subst.) L5; 38
passagem (f. subst.) L6; 51
passaporte (m. subst.) L4; 24
passar (vb) L4; 31
pássaro (subst.) LE5; 89

passe (m. subst.) R2; 100
passear (vb) L6; 43
passo (vb passar) L6; 44
patroa (subst.) L6; 44
paulista (adj.) L6; 53
pé (m. subst.) L4; 25
peça (subst.) L6; 50
pedalinho (subst.) L4; 31
pedir (vb) L1; 1
pedreiro (subst.) L5; 41
pegar (vb) L4; 30
peito (subst.) LE5; 89
peixe (m. subst.) L3; 15
pelo (contr. por + o) L4; 25
pelo contrário (adv.) L5; 37
pena (subst.) L2; 12
pequeno (adj.) L4; 24
perder (vb) L5; 37
perdido (adj.) L2; 14
perdoa (vb perdoar) L6; 52
perfeição (f. subst.) L5; 41
perfeitas/os (adj.) L4; 31
pergunta (subst.) L1; 4
perguntar (vb) L1; 3
periferia (subst.) L6; 44
períodos (subst.) L2; 8
permanecesse (vb permanecer) LE6; 96
permanente (adj.) LE1; 64
permitida/o (adj.) L4; 32
permitir (vb) L4; 28
pernil (m. subst.) L3; 17
pertinho (adv.) LE5; 85
perto (adv.) L4; 25
perto d(aqui) (prep.) L4; 23
pés (m. subst.) LE5; 89
pesado/a (adj.) L5; 38
pesca-palavras (subst.) LE3; 78
peso (subst.) L5; 38
peso argentino (subst.) LE1; 66
peso chileno (subst.) LE1; 66
péssima (adj.) L5; 37
pessoa (subst.) L4; 31
pessoa com deficiência (subst.) LE4; 84
pessoais (pessoal) (adj.) L1; 1
pessoalmente (adv.) L4; 29
pessoas (subst.) L1; 1
pinga (subst.) L3; 16
pintor (subst.) L5; 41
pintura (subst.) L6; 53
pior (adj.) L4; 27
piquenique (m. subst.) L2; 12
piscina (subst.) L4; 26
piscoso (adj.) LE4; 83
pista (subst.) L2; 13
pizza(s) (subst.) L2; 13
pizzaria (subst.) L2; 13
placas (subst.) L4; 32
planejadas (vb. planejar) L5; 41
planejamento (subst.) L5; 41
planetário (subst.) L6; 43
planos (subst.) L4; 31
planta (subst.) L4; 26
plantio (subst.) LE6; 96
playground (m. subst.) L4; 30
plural (adj.) L2; 10
pobres (adj.) L5; 41
pode (vb poder) L2; 7
põe (vb pôr) LE5; 89
poeira (subst.) L6; 52
poemas (m. subst.) L6; 53
poesia (subst.) L6; 53
poeta (subst.) L6; 53
poética (adj.) L6; 53
pois (conj.) L4; 23
poliesportiva (adj.) L4; 31
política (subst.) LE3; 74
poltrona (subst.) L5; 39
poluição (f. subst. -ões) LE3; 75
pomar (m. subst.) LE6; 96
ponto de partida (subst.) L5; 41
população (f. subst. -ões) L4; 32
popular (adj.) L2; 13
por (prep.) L1; 5
por assinatura (adv.) LE4; 84
por causa d(o) (prep.) LE2; 71
por extenso (adv.) LE1; 66
por intermédio de (prep.) L5; 41
por meio de (prep.) L5; 41
pôr (vb) L6; 44
porão (m. subst. -ões) L1; 5
porque (conj.) L3; 19
porta (subst.) L4; 28
portão (m. subst. -ões) L5; 33
portas (subst.) LE6; 94
português moderno (subst.) L1; 3
português (adj.) L1; 4
positiva (adj.) L6; 50
possessivos (adj.) L2; 10
possibilidades (f. subst.) L6; 48
possível (adj.) L5; 34
posso (vb poder) L2; 7
post-mortem (lat.) L6; 53
posto (subst.) L4; 26
pot-pourri (m. subst.) L2; 13
potência (subst.) L5; 38
pouco (subst.) L2; 9
pousada (subst.) L2; 12
povo (subst.) L6; 53
pra (prep, contr. de para.) L6; 52
praça (subst.) L4; 24
praia (subst.) L2; 12
praticar (vb) LE3; 77
prático (adj.) L5; 39
prato(s) (subst.) L3; 20
prazer (m. subst.) L2; 7
precisa (vb precisar) L4; 25 LE4; 82
precisão (f. subst. -ões) L2; 13
preço (subst.) L4; 24
prédio (subst.) L5; 35
preencha (vb preencher) L1; 4
preferência (subst.) L4; 23
preferidos (adj.) LE4; 82
prefiro (vb preferir) L4; 23
prêmio (subst.) L6; 53
preparados/as (adj.) L2; 13
preparar (vb) L5; 41
preposição (f. subst. -ões) L5; 36
presa (subst.) L6; 54
presente (m. subst.) L6; 47
presidente (subst.) L6; 46
pressa (subst.) L6; 52
pretérito perfeito (subst.) L5; 36
primária (adj.) L6; 53
primavera (subst.) L6; 51
primeiro (num.) L4; 25
principais (principal) (adj.) L4; 32
pro (prep., contra. para + o) L6; 54
problema (m. subst.) L4; 24
procedência (subst.) LE1; 64
proclamação (f. subst. -ões) L6; 51
procura (vb procurar) L4; 31
produção (f. subst. -ões) L5; 41
produtor (subst.) LE5; 85
produzidos (vb produzir) LE4; 84
professor/a, (subst.) L1; 2
profissão (f. subst. -ões) L1; 1
profissionais (subst.) L5; 41
profissional (adj.) L5; 41
programa (subst.) L2; 11
progressiva/o (adj.) L5; 41
proibido (adj.) L4; 32
proibir (vb) L4; 28
projeto (subst.) L5; 41
prometo (vb prometer) L6; 52
promoção (f. subst. -ões) LE4; 83
pronomes (m. subst.) L2; 10
propor (vb) L2; 7
proporção (f. subst. -ões) L5; 40
proporcionar (vb) LE4; 84
proposta (subst.) LE6; 96
próprio/a (adj.) L5; 40
proprietário (subst.) L5; 36
prosa (subst.) L6; 53
prova (subst.) L6; 50
próx; (subst.) L4; 24
próxima(o) (adj.) L6; 49
proximidades (subst.) LE5; 89
psicólogo (subst.) L1; 2
psicologia (subst.) LE2; 68
publicidade (f. subst.) LE5; 85
público/a (adj.) L4; 25
publicou (vb publicar) L6; 53
pudim (m. subst.) L3; 17
pule (vb pular) R2; 100
puxa (interj.) L6; 44

Q

quadra (subst.) L4; 25
quadras (subst.) LE4; 83
quadro (subst.) L5; 36
quais (pron.) L5; 34
qual (pron.) L1; 1
qualidade (f. subst.) L5; 41
qualificação (f. subst. -ões) L5; 41
quando (adv.) L2; 8
quantas (pron.) L3; 15
quanto (pron.) L3; 15
quanto (adv.) L5; 33
quarenta (num.) L1; 6
quarta (subst.) L2; 9
quarta-feira (subst.) L2; 8
quarteirão (m. subst. -ões) L4; 25
quarteto (subst.) L2; 13
quarto (subst.) L4; 23
quase (adv.) L6; 50
quatorze (num.) L1; 6
quatro (num.) L1; 6
quatrocentos/-as (num.) L4; 32
que (pron.) L1; 6
quê (subst.) L6; 52
que azar! (interj.) R2; 100
queijo (subst.) LE6; 96
quem (pron.) L2; 14
quente (adj.) L3; 22
queremos (vb querer) L3; 17
querido/a (adj.) LE3; 73
questão (f. subst. -ões) R2; 99
quilos (subst.) LE3; 76
químico (subst.) LE3; 77

quinhentos/as (num.) L4; 32
quinta (adj.) L2; 8
quinta-feira (subst.) L2; 8
quintal (m. subst.) L5; 33
quinze (num.) L1; 6

R

raciocínio (subst.) LE6; 96
rádio (subst.) L5; 36
rap (subst.) L2; 13
rapaz (m. subst.) LE3; 76
rapidamente (adv.) L6; 52
rápido/a (adj.) L5; 38
razão (f. subst. -ões) L4; 30
reais (real) (subst.) LE1; 66
realizam (vb realizar) L5; 41
recado (subst.) R1; 56
receber (vb) L5; 33
recentemente (adv.) LE6; 96
reclamações (f. subst. -ão) LE4; 80
reclamar (vb) L4; 23
recomendar (vb) L4; 25
reduzido/a (adj.) L5; 41
reduzir (vb) L4; 29
refeições (f. subst. -ão) LE4; 83
referem (vb pron. referir-se) LE5; 89
referentes LE6; 95
refrigerante (m. subst.) L3; 15
regiões (f. subst. -ão) L1; 3
registro (subst.) LE1; 64
regras (subst.) LE6; 94
régua (subst.) L2; 10
regulamentado/a (adj.) L4; 32
regulares (adj.) L1; 3
regularmente (adv.) LE1; 65
relação (f. subst. -ões) LE4; 84
relacionadas/os (adj.) L5; 42
relacione (vb relacionar) L1; 4
relate (vb relatar) L3; 20 L6; 43
religiosos/as (adj.) L6; 51
relógio(s) (subst.) L2; 9
renda (subst.) L5; 41
repetir (vb) L2; 14
reportagem (f. subst.) LE4; 81
repouso (subst.) LE4; 84
representação (f. subst. -ões) LE4; 84
reserva (subst.) L4; 23
reservada (adj.) L2; 14
reserve (vb reservar) L3; 21
residência (subst.) LE1; 61
resolvam (vb resolver) L1; 6
respeitado/a (adj.) L6; 53
respeito (subst.) LE6; 94
responda (vb responder) L1; 2
resposta(s) (subst.) L6; 48
restaurante (m. subst.) L1; 4
resultado (subst.) LE2; 71
reta (adj.) R1; 55
retire (vb. retirar) L4; 32
reuni (vb reunir) L6; 50
reunião (f. subst. -ões) L2; 9
revisão (f. subst. -ões) R1; 55
revista (subst.) L6; 48
ricos (adj.) L6; 45
rir (vb) L6; 54
risque (vb riscar) LE3; 77
rodamos (vb rodar) L6; 50
rodovia (subst.) L4; 30
rodoviária (subst.) L4; 25
romântica (adj.) LE3; 76
roqueiro (subst.) L1; 5
rotina (subst.) L6; 43
rotisseria (f. subst.) LE4; 80
roupa (subst.) L2; 13
roupeiro (subst.) L5; 35
rua (subst.) L2; 13
rublo russo (m. subst.) LE1; 66
ruim (adj.) L4; 27
rural (adj.) L5; 40

S

sábado (subst.) L2; 8
sabe (vb saber) L5; 40
sabonete (m. subst.) L4; 30
saída (subst.) L4; 24
sair (vb) L2; 12
sala (subst.) L5; 33
sala de aula (subst.) L1; 1
sala de jantar (subst.) L5; 33
sala-quarto (subst.) L5; 34
salada (subst.) L3; 16
salame (m. subst.) LE6; 96
salão (m. subst. -ões) L4; 31
salário (subst.) L4; 27
salgados (subst.) LE4; 84
sanduíche (m. subst.) L3; 15
sanitário (adj.) L5; 40
são (vb ser) L1; 3
satisfeito/a (adj.) L4; 30
saudável (adj.) L3; 20
saúde (f. subst.) LE6; 96
sauna (subst.) LE4; 83
se (pron.) L1; 1
seca (adj.) LE4; 84
secar (vb) LE5; 90
secos (adj.) LE5; 89
secretária (subst.) L1; 3
secretária eletrônica (subst.) L2; 14
século (subst.) L4; 25
sede (f. subst.) L3; 15
seguinte (seguintes) (adj.) LE5; 87
seguir (vb) L4; 29
segunda (subst.) L2; 9
segunda-feira (subst.) L2; 8
segundo (num.) L4; 25
seguro (adj.) L4; 28
sei (vb saber) L3; 19
seis (num.) L1; 6
seiscentos/as (num.) L4; 32
selva (subst.) L6; 50
sem (prep.) L3; 21
semana (subst.) L2; 8
semelhantes (adj.) L4; 25
sempre (adv.) L3; 18
senadores (subst.) LE4; 84
senhor (subst.) L1; 1
senhora (subst.) L1; 2
sentado/a (adj.) L5; 36
sentido (subst.) L4; 32
sequência (subst.) L2; 14
ser (vb) L1; 3
serve (vb servir) L3; 21
serviço (subst.) L2; 13
serviço de praia (subst.) LE4; 84
sessenta (num.) L1; 6
sete (num.) L1; 6
setecentos/as (num.) L4; 32
setembro (subst.) L6; 51
setenta (num.) L1; 6
setor (m. subst.) L4; 25
seu (pron.) L5; 35
seu (subst.) LE6; 94
seus/suas (pron.) L2; 12
sexo (subst.) LE1; 64
sexta (subst.) L2; 9
sexta-feira (subst.) L2; 8
show (m. subst.) L1; 5
siga (vb seguir) L4; 25
significa (vb significar) L5; 41
silêncio (subst.) L2; 14
sim (adv.) L1; 1
símbolos (subst.) LE4; 84
simpático (adj.) L4; 31
simples (adj.) L4; 24
sinal (subst.) L4; 25
sincero (adj.) LE3; 76
singular (adj.) L2; 10
sinto (vb sentir) LE6; 96
sinuca (subst.) L6; 50
site (m. subst.) L5; 34
situações (f. subst. -ões) L3; 20
só (adv.) L2; 12
sobra (vb. sobrar) LE6; 96
sobrado (subst.) L5; 34
sobre (prep.) L4; 27
sobremesa (f. subst.) L3; 17
sobrenome (m. subst.) L1; 2
sociais (social) (adj.) L4; 31
social (adj.) LE6; 94
sofá (m. subst.) L5; 33
sofreu (vb sofrer) L6; 53
sogra (subst.) L6; 50
sol (m. subst.) L4; 31
soletrar (vb) L1; 1
solteira/o (adj.) LE1; 64
som (m. subst.) LE5; 85
some (vb. somar) LE1; 66
sonhos (subst.) L5; 39
sono (subst.) L6; 52
sopa (subst.) L3; 17
sorte (f. subst.) L4; 32
sorvete(s) (m. subst.) L3; 17
souvenirs (m. subst.) L4; 30
sozinha/o (adj.) LE4; 79
spaghetti (m. subst.) L3; 17
sua (pron.) L1; 1
subir (vb) L6; 50
sublinhe (vb sublinhar) LE5; 89
substantivos (subst.) L6; 54
substitua (vb substituir) L6; 49
subtraia (vb subtrair) R2; 99
sucesso (subst.) L1; 5
suco (subst.) L3; 15
suculenta/o (adj.) LE6; 96
sudeste (m. subst.) LE4; 84
sugerir (vb) L4; 23
sugestão (f. subst. -ões) L2; 13
sugo (subst.) L3; 17
suíça (adj.) L1; 3
suíte (f. subst.) L4; 24
suja/o (adj.) L2; 13
sul (m. subst.) L4; 31
sumi (vb sumir) L6; 52
superficial (adj.) LE6; 96
superior (adj.) L5; 34
supermercado (subst.) L2; 8
surrealistas (adj.) L6; 54
sussurrada/o (adj.) L2; 13

T

tagliarini (m. subst.) L3; 17
talheres (m. subst.) LE6; 93
talvez (adv.) L4; 23
também (adv.) L2; 8
tangos (subst.) L2; 13
tanque (m. subst.) L5; 38
tanta (pron.) L6; 52
tantos (adv.) L1; 5
tão (adv.) L5; 33

tapete (m. subst.) L5; 36
tarde (adv.) L3; 20
tarde (f. subst.) L6; 43
tarefa (subst.) L6; 46
taxa (subst.) L4; 24
táxi (m. subst.) L4; 25
tchau (interj.) L2; 12
teatro (subst.) L2; 8
teclado (subst.) L6; 44
técnico (subst.) LE3; 77
tela (subst.) L6; 54
telefone (m. subst.) L1; 5
telefonemas (m. subst.) L2; 14
telefônica (adj.) L4; 24
telefonou (vb telefonar) L1; 5
televisão (f. subst. -ões) L1; 4
telhado (subst.) L5; 41
temas (m. subst.) L2; 13
temperatura (subst.) LE4; 84
tempo (subst.) L2; 9
temporada (subst.) L4; 31
tenho (vb ter) L2; 9
tênis (m. subst.) L4; 30
terça (subst.) L2; 9
terça-feira (subst.) L2; 8
terceiro/a (adj.) L4; 25
termas (subst.) LE6; 96
termina (vb terminar) R2; 99
ternos (subst.) LE6; 96
terra (subst.) L6; 53
terraço (subst.) L4; 31
térreo (adj.) L5; 34
terrível (adj.) L6; 44
tesoura (subst.) L2; 10
teste (m. subst.) L6; 46
teto (subst.) L5; 39
teuto-brasileira (adj.) LE3; 75
texto (subst.) L1; 5
tinta (subst.) L5; 41
tintos (adj.) L3; 17
tio-avô (subst.) LE6; 96
tipicamente (adv.) L3; 17
típicas/os (adj.) L2; 14
tipo (subst.) L2; 13
tirar (vb) L5; 39
título (subst.) L2; 13
toalha (subst.) L3; 22
todo (pron.) L4; 31
todo dia (adv.) L6; 43
todos (pron.) L2; 13
tomar (vb) L2; 7
tomate (m. subst.) L3; 17
tornando (vb tornar) L6; 53
tornar (vb) L4; 25
torta (subst.) LE3; 77
trabalhador (subst.) L6; 50
trabalhadores (subst.) L5; 41
trabalhar (vb) L1; 3
trabalho (subst.) L3; 18
tradicional (adj.) LE4; 84
tranquila/o (adj.) LE3; 75
tranquilamente (adj.) LE4; 81
tranquilidade (f. subst.) LE4; 82
tranquilo/a (adj.) L4; 27
transformou (vb transformar) L2; 13
trânsito (subst.) L4; 32
transmitidos (adj.) LE6; 96
transmitir (vb) L4; 28
transportar (vb) LE5; 88
transporte (m. subst.) LE1; 64
tratar (vb) L4; 31
travesseiro (subst.) L5; 36
trazidas (vb trazer) L2; 13
trem (m. subst.) LE1; 64
três (num.) L1; 6
treze (num.) L1; 6
trezentos/as (num.) L4; 32
trinta (num.) L1; 6
triplex (adj.) LE5; 85
trocar (vb) L4; 30
tropeiro (subst.) L2; 8
tropicais (adj.) L3; 18
tropical (adj.) LE4; 84
tu (pron.) L1; 3
tucano (subst.) LE5; 89
tudo (pron.) L2; 7
turismo (subst.) L1; 5
turista (subst.) L3; 20
turístico/a (adj.) L6; 50
TV a cabo (subst.) L4; 24
TV por assinatura (subst.) LE4; 84

U

uísque (m. subst.) LE6; 96
última (adj.) L4; 25
último (subst.) L5; 35; (adj.) L5; 38
um (num.) L1; 6
uma (artigo) L2; 9
úmida/o (adj.) L5; 35
única/o (adj.) L4; 32
universidade (f. subst.) L3; 19
universitário/a (adj.) L1; 64
uns (artigo) L3; 16
urbana (adj.) L4; 32
urbanização (f. subst. -ões) L5; 40
urbano/a (adj.) L4; 32
usado (vb usar) L1; 3
utilizados (adj.) L1; 4

V

vaga (subst.) L4; 32
vagem (f. subst.) L3; 17
vai (vb ir) L2; 7
van (f. subst.) L4; 30
varanda (subst.) L5; 39
varia (vb variar) LE5; 89
várias (adj.) L6; 48
vários (adj.) L6; 53
vaso (subst.) L5; 36
vasta/o (adj.) L6; 53
vegetação (f. subst. -ões) LE4; 84
vegetariano/a (adj.) L3; 20
veículos (subst.) L5; 38
velas (subst.) L2; 13
velejar (vb) LE3; 77
velhas/os (adj.) LE6; 94
velho/a (adj.) L5; 35
velocidade (f. subst.) L4; 29
vem (vb vir) L4; 26
vence (vb vencer) R1; 55
vende (vb vender) L5; 34
vendedor (subst.) L5; 36
vende-se (vb) L5; 34
ver (vb) L4; 30
verão (m. subst. -ões) L6; 51
verbo (subst.) L1; 3
verdade (f. subst.) L6; 44
verde (adj.) L2; 13
verduras (subst.) LE6; 96
verifique (vb verificar) R2; 99
vermelho (adj.) LE5; 89
vertical (subst.) R1; 55
veste (se) (vb pron. vestir-se) LE6; 96
vestiários (subst.) LE5; 85
vez (f. subst.) L6; 43
vezes (f. subst.) L4; 32
viagens (f. subst.) L4; 30
viajar (vb) L2; 11
vias (subst.) LE2; 71
vida (subst.) L4; 27
vídeos (subst.) LE4; 81
vinho (subst.) L3; 15
vinte (num.) L1; 6
violão (m. subst. -ões) L2; 13
violência (subst.) LE3; 75
virar (vb) L4; 29
vire (vb virar) L4; 25
visita (subst.) L4; 25
visitar (vb) L3; 20
vista (subst.) L4; 31
viúvo/a (adj.) LE6; 96
vive (vb) LE5; 89
viver (vb) L4; 28
vizinha (subst.) L5; 36
vizinho (subst.) L5; 35
vizinhos (adj.) L5; 34
voar (vb) L1; 3
vocabulário (subst.) LE3; 75
vocal L2; 13
você (pron.) L1; 1
vôlei (m. subst.) L4; 30
volta (subst.) L6; 53
voo (m. subst.) L6; 51
vós (pron.) L1; 3

X

xícara (subst.) L3; 22
xicrinha (subst.) L3; 22

Y

yoga (subst.) L4; 28

Z

zelador (subst.) L5; 36
zero (num.) L1; 6
zona (subst.) L5; 34
zona franca (subst.) L6; 50
zoológico (subst.) R1; 57

Créditos

iStockphoto

Página 1 – lovleah, narongcp, ricardoreitmeyer

Página 2 – SanneBerg, innovatedcaptures

Página 3 – DMEPhotography, Kerkez

Página 4 – fongleon356, TFILM, SerrNovik

Página 5 – ipopba, AntonioGuillem, Prostock-Studio

Página 6 – CHALERMCHAI THAISAMRONG

Página 7 – DisobeyArt, fizkes, yacobchuk

Página 8 – bokan76

Página 10 – monkeybusinessimages, nortongo

Página 12 – AlpamayoPhoto, Antonio_Diaz, Farknot_Architect, Halfpoint, Povozniuk

Página 13 – AntonioGuillem, kiboka, ipopba, Craft24, LanaStock, SergioZacchi

Página 14 – Pinkypills, AlessandraRC, anatoliy_gleb

Página 15 – DGLimages, rodrigobark, YakobchukOlena, Ihor Bulyhin

Página 16 – ivanmateev, Drazen Zigic

Página 17 – Rrrainbow, Dio5050

Página 18 – monkeybusinessimages

Página 19 – monkeybusinessimages, Prostock-Studio

Página 21 – RebecaMello, renatalang

Página 22 – krblokhin, fotorezekne, karandaev, jorgecachoh, Nadtochiy

Página 23 – Zoran Zeremski, KhongkitWiriyachan, Ирина Мещерякова

Página 25 – williamwsp96, diegograndi, gaborbasch, dabldy

Página 26 – R.M. Nunes

Página 28 – Asphotowed, monkeybusinessimages

Página 29 – Samuel Azambuja Kochhan, jojoo64, Nadtochiy, Sigit Mulyo Utomo, 4zevar, TheArtist

Página 30 – ValterCunha

Página 31 – Ridofranz, AaronAmat, Photodjo, Chaay_Tee, oatawa, KS-Art, nenozcn, Perszing1982, flyzone, Douglas José, Camila1111.

Página 32 – Rainer Lesniewski

Página 33 – Antonel, Diy13, PaulVinten, dit26978

Página 34 – Ivan-balvan, ueberkunst, Celli07, Rui Mesquita Cordeiro, in4mal, vadimguzhva, monkeybusinessimages, vladans, Jovanmandic, Julio Rivalta

Página 40 – Celli07, Alfribeiro

Página 41 – Luisrftc

Página 43 – matthewennisphotography, monkeybusinessimages, FabioIm

Página 44 – monkeybusinessimages, JuFagundes

Página 45 – monkeybusinessimages

Página 50 – Nadasaki, Mauricio Antonello, yuriyzhuravov, opolja, diego_cervo, SL_Photography, Pedro Ferreira do Amaral

Página 51 – wenht, FernandoQuevedo, CristiNistor, Bruno Netto, RafaPress, ampueroleonardo, monkeybusinessimages, diegograndi, Alfribeiro, Sidney de Almeida, ValterCunha, pianisssimo

Página 52 – Dmytro Varavin, anyaberkut

Página 53 – johan10

Página 55 – vadimguzhva

Página 56 – monkeybusinessimages, Dan Baciu

Página 57 – diegograndi, 25ehaag6, Artjafara, Celli07, pashyksv, André Moreira, Vicheslav

Página 62 – Prostock-Studio

Página 64 – nicomenijes, gpointstudio, kzenon, Minerva Studio

Página 65 – MangoStar_Studio

Página 66 – tpnagasima, badmanproduction, Tuned_In, Ahmed bsr

Página 68 – Deagreez

Página 71 – cifotart

Página 72 – cifotart, alffoto

Página 75 – mheim3011

Página 76 – DMEPhotography

Página 77 – Ranta Images, VLG, FXQuadro, AaronAmat, irakite, _jure

Página 80 – Gil Vicente Xaxas

Página 81 – Thi Soares

Página 83 – JudyDillon, R.M. Nunes

Página 84 – Grupo Lancaster, Bobtokyoharris

Página 88 – Celli07

Página 90 – Gustavo_Asciutti, deniscostille, Gladston Barreto, gutomarcondes, Radiokukka

Página 92 – undefined undefined

Página 93 – Thomas De Wever

Página 96 – kerriekerr

Outros casos

Página 53 – Fotos da Internet – *Royalt Free*

Página 54 – obra de arte “Menino Morto” de Cândido Portinari

Página 57 – Fotos da Internet – *Royalt Free*

2023
1 2 3 4 5 6 7 8 9 10